Sou péssimo em
PORTUGUÊS

CÍNTIA CHAGAS
PORTUGUÊS
Sou péssimo em
PORTUGUÊS
CHEGA DE SOFRIMENTO!
APRENDA AS PRINCIPAIS
REGRAS DE PORTUGUÊS
DANDO BOAS RISADAS

Cíntia Chagas

Sou péssimo em PORTUGUÊS

CHEGA DE SOFRIMENTO! APRENDA AS PRINCIPAIS REGRAS DE PORTUGUÊS DANDO BOAS RISADAS

Rio de Janeiro, 2024

Diretora editorial
Raquel Cozer

Coordenadora editorial
Malu Poleti

Assistente editorial
Marina Castro

Copidesque
Opus Editorial

Revisão
Rafaela Biff Cera e Thais Rimkus

Capa, projeto gráfico e diagramação
Anderson Junqueira

Fotos da autora
Angelo Pastorello

Os pontos de vista desta obra são de responsabilidade da autora, não refletindo necessariamente a posição da HarperCollins Brasil, da HarperCollins Publishers ou de sua equipe editorial.

CIP-BRASIL. CATALOGAÇÃO NA PUBLICAÇÃO
SINDICATO NACIONAL DOS EDITORES DE LIVROS, RJ

C424s

Chagas, Cíntia
Sou péssimo em português : chega de sofrimento! aprenda as principais regras de português dando boas risadas / Cíntia Chagas. - 1. ed. - Rio de Janeiro: HarperCollins, 2018

Inclui bibliografia
ISBN 9788595083110

1. Língua portuguesa - Gramática. I. Título

18-50321 CDD: 469.5
CDU: 811.134.3'36

Leandra Felix da Cruz - Bibliotecária - CRB-7/6135
08/06/2018 18/06/2018

HarperCollins Brasil é uma marca licenciada à Casa dos Livros Editora LTDA.

Rua da Quitanda, 86, sala 601A — Centro
Rio de Janeiro, RJ — CEP 20091-005
Tel.: (21) 3175-1030
www.harpercollins.com.br

Ao grande amor da minha vida,
vovó Orlandina.

Ao incentivador da escrita desta obra,
Pe. Fábio de Melo.

Aos seres que passaram pela
minha vida e transformaram-se em
personagens deste livro.

"Eu queria ter tido uma professora como Cíntia Chagas. E nem precisava ser tão bonita. Nem tão elegante. Queria ter uma professora antenada como Cíntia. Comprometida com o aprendizado. Disposta a usar todos os recursos possíveis para manter o aluno ligado na língua pátria. Que bom que ela escreveu um livro. Que bom que posso ser aluna dela, hoje, através das aulas que escreveu. E, melhor ainda, posso saborear por inteiro as histórias divertidas que ela usou para tornar maior a intimidade entre nós, seus alunos e suas alunas, com as regras do bom português. Que maravilha poder ser aluna de Cíntia Chagas."

— Leda Nagle

"Português sempre foi a minha matéria preferida. Entender suas regras e labirintos era fascinante pra pirralhinha aqui, que sonhava virar escritora um dia. Quando terminei de ler o livro da Cíntia (que fala de regras sem parecer que está falando de regras, uma coisa de louco!), eu quis voltar no tempo. A menina que mora em mim ficou #chateada por não ter lido um livro tão bacana quando era estudante (e por não ter sido aluna de uma "fessora" maluquinha como ela). De forma leve, inusitada, única e, acima de tudo, divertida (prepare-se para dar boas risadas), Cíntia Chagas – essa surra de talento, carisma e beleza – mostra que aprender a nossa língua é muito mais simples do que a maioria das pessoas pensa. A gente é que complica! Ainda bem que tem a Cíntia para descomplicar e, de quebra, fazer rir com esta delícia recheada de histórias cheias de humor, gaiatice e personalidade."

— Thalita Rebouças

AGRADECIMENTO

Se analisarmos a regência do verbo agradecer em diferentes gramáticas tradicionais, encontraremos normas distintas entre si, situação que denota a pluralidade das interpretações possíveis para as regras da nossa língua portuguesa. E, graças a esse tipo de divergência, nós, professores de português, temos de estudar os grandes gramáticos a fim de transmitir, aos alunos, as regras que nos parecem mais sensatas. Ademais, temos de nos abster de uma preferência cega por um determinado gramático, para que possamos, imparcialmente, chegar às conclusões mais lúcidas sobre as polêmicas linguísticas.

Diante disso, agradeço os ensinamentos aos grandes gramáticos normativos da língua portuguesa e assumo o compromisso de levar adiante o primoroso trabalho desses estudiosos.

Muito obrigada!

SUMÁRIO

FOTO DE
ALICE VENTURI

PREFÁCIO

Pe. Fábio de Melo

Eu sempre compreendi as regras da língua portuguesa como metáforas da vida. Pontuar o texto, ajeitar a concordância, distinguir o sujeito, identificar o plural para cada singular, tudo me reporta à dinâmica do cotidiano em que experimento o meu existir. Há sempre um cordão imaginário a atar as regras da gramática com as regras da vida. A língua portuguesa é uma experiência cotidiana. É por meio dela que alcançamos os significados dos mundos que nos cercam, que compreendemos nossos mundos interiores e construímos a trama verbal que derrama sentido sobre tudo o que fazemos, pensamos, falamos e sentimos.

A língua portuguesa é o exercício literário que se confunde com a rotina da vida. Não foi sem motivo que Graciliano Ramos, um dos grandes mestres da nossa literatura, comparou o ofício de lidar com as palavras com o ofício das lavadeiras da sua terra. Ele disse: “Deve-se escrever da mesma maneira como as lavadeiras lá de Alagoas fazem seu ofício. Elas começam com uma primeira lavada, molham a roupa suja na beira da lagoa ou do riacho, torcem o pano, molham-no novamente, voltam a torcer. Colocam o anil, ensaboam e torcem uma, duas vezes. Depois enxáguam, dão mais uma molhada, agora jogando a água com a mão. Batem o pano na laje ou na pedra limpa e dão mais uma torcida e mais outra, torcem até não pingar do pano uma só gota. Somente depois de feito tudo isso é que elas dependuram a roupa lavada na corda ou no varal, para secar. Pois quem se mete a escrever devia fazer a mesma coisa. A palavra não foi feita para enfeitar, brilhar como ouro falso; a palavra foi feita para dizer”.

O mestre alagoano se referia ao exercício literário. Mas eu ouso desdobrar a sua reflexão. Toda vez que precisamos nos comunicar, recrutamos naturalmente a língua que nos pertence. É nessa hora que o emaranhado de informações recebido com os anos de estudos abre caminhos para que o nosso dizer de fato diga. O conhecimento da língua também nos facilita o enfeite da palavra, mas a facilidade que nos torna comunicadores é a clareza, a expressão verbal do pensamento, que foi alvejada pelo conhecimento.

Mas não é fácil ensinar a alvejar as palavras. Por isso é tão necessário aproximar a língua do cotidiano das pessoas. É mister arrancar o tesouro das formulações teóricas do baú hermético, dos gabinetes acadêmicos, e expô-lo nas praças, nas casas, nos bares, nos lugares onde enfrentamos a vida que precisamos viver.

O trabalho primoroso de Cíntia Chagas corrobora minha compreensão. Ela descobriu que a incorporação intelectual das regras e das exceções, nem sempre fáceis, postuladas pela nossa última flor do Lácio, fica mais palatável quando feita a partir da dinâmica existencial que nos envolve.

Faz muito sentido. O conhecimento é uma experiência viva, visceral, pois nos coloca na aridez do desconhecido, no desafio de arrancar de dentro de nós pressupostos que viabilizem a apreensão do novo, o desvelamento que possibilita um saber que à identidade se incorpora.

Somos o que sabemos. Somam-se em nós os inúmeros e frutuosos esclarecimentos que pudemos viver. Influenciado pela belíssima premissa socrática, que compreende o aprendizado como um infindo processo de nascer, intuo que a sala de aula seja o ambiente privilegiado para este vir à luz.

Estimulados pelos especialistas em partejar o que em nós já se configura como possibilidade, o conhecimento, somos canteiros férteis, constantemente aptos à experiência epistemológica que nos livra da ignorância.

Para muitos, essa função maiêutica, pedagógica, só é possível quando feita sob a proteção da sisudez. Para outros, não. Recrutando a leveza e o humor, também são capazes de criar a ambiência favorável ao conhecimento. É sob essa aparente transgressão que um novo tempo irrompe diante de nós. Sabedores de que o saber não dispensa o sabor, esses professores são importantes na desconstrução de um modelo pedagógico que não se especializou em despertar alegrias.

Este livro é filho de um protagonismo didático. Nele há um frescor que derrama um novo olhar sobre a forma de ensinar o alvejar da linguagem.

De volta ao começo. Já que as regras da gramática são metáforas da vida, nada mais apropriado do que vê-las aplicadas na carne da existência. Ao abrir o depósito das suas memórias e abordar o vivido sob o amplo conhecimento que tem da língua portuguesa, Cíntia Chagas nos presenteia com uma obra inteligente, sensível e delicada.

Ler os contos que conciliam literatura e ensino formal, que é a proposta deste livro, torna-se um jeito peculiar de recordar o que andava esquecido ou aprender o que ainda não sabíamos.

Esta obra se aproxima da maiêutica socrática, uma vez que nos ajuda a partejar conhecimento, e também se aproxima do conselho de Graciliano Ramos, uma vez que nos ajuda a quarar a linguagem para que diga mais do que enfeite.

Somos todos beneficiados com tão fecunda iniciativa.

SOBRE O USO DO "MESMO"

Mesmo?

Há alguns anos, namorei um professor de Direito e procurador-geral da União (do tipo com mestrado, doutorado, pós-doutorado e mil especializações) cujo apreço pela língua portuguesa chegava a ser irritante até para mim. Não sei se por implicância ou por exibicionismo, esse homem, nos nossos momentos de brigas (que não eram poucos; afinal, éramos mais possessivos do que todos os pronomes possessivos juntos), tentava, de todas as formas, mostrar que dominava a última flor do Lácio, vulgo língua portuguesa, mais do que eu. E o que acontecia? Eu ficava tão irritada com a situação que sempre perdia no quesito argumentação.

Certa vez, após almoçarmos em uma tarde de sábado, ele foi para a minha casa. Enquanto esperávamos pelo elevador, eu comentei:

— Ainda chegará o dia em que todas essas placas de aviso de elevadores serão corrigidas. Aff!

— Oi?

— Você nunca reparou? "Antes de entrar no elevador, verifique se o mesmo se encontra parado neste andar."

— E daí?

— E daí que a palavra "mesmo" não pode retomar outra palavra, como elevador.

— Claro que pode! "Mesmo" é um pronome demonstrativo. Está demonstrando onde devemos ou não entrar.

— Realmente, "mesmo" pode atuar como pronome demonstrativo, mas ele retoma uma oração, não uma palavra, Maurício.

— Exemplo?

— Eu sou uma namorada fiel; por isso espero que o meu

namorado faça o mesmo. Viu? Recupera-se, aí, a oração sobre a fidelidade.

— Isso é uma indireta, Cíntia?

— Não, é direta mesmo.

— E esse "mesmo" de agora?

— É um advérbio com valor reforçativo, Maurício. Ele reforça quão galinha você é. O elevador chegou. Vamos.

— Mesmo? Hahaha...

— Não fuja do assunto. Estou cansada das suas ciscadas por aí.

Chegando, eu retirei as minhas roupas e coloquei um roupão. Ele tirou os sapatos, como quem mostra que vai ficar, mas recebeu um telefonema sei lá de quem e prontamente respondeu:

— Claro que vou. Em dez minutos estarei aí.

— Oi??? Você vai me deixar aqui mesmo?

— E esse "mesmo"?

— Equivale à palavra "realmente" e ao provável término do nosso namoro se você sair daqui.

Perguntei para ele de quem se tratava, mas Maurício desconversou. Disse que eu não conhecia a pessoa em questão, que ele precisava "dar uma passada" no tal lugar, que eu não iria gostar do barzinho, blá-blá-blá... E começou a ladainha linguisticamente ortodoxa comum aos discursos que ele ensaiava nas nossas brigas:

— Cíntia, eu sou um homem de conduta ilibada, de quem você não pode duvidar. E você é a mulher pela qual sou apaixonado. Você tem tudo quanto quer de mim e ainda assim sempre duvida dos lugares onde digo que estou.

— É mesmo? Fiquei lisonjeada...

— Esse "mesmo" foi irônico. Não admito ironias sobre a minha fidelidade.

— Maurício, você não me engana. Eu ouvi voz de mulher. Quem está lá? Quantas mulheres são? De onde é esse amigo misterioso do qual eu nunca ouvi falar? Aposto que é aniversário de mulher, por isso você não quer me levar. Não é? Você já estava distante na hora do almoço. Eu senti!

— Não me venha, Cíntia Chagas (ele sempre me chamava de Cíntia Chagas durante as brigas), com o seu discurso falacioso! Sou um namorado de cuja fidelidade você não pode duvidar. Quer saber? Vou embora. Passar bem.

E saiu correndo do meu apartamento. E eu saí correndo atrás dele, afinal de contas, ele tinha de me ouvir. Mas o caso é que eu estava de roupão e não me lembrei desse detalhe. Pois bem: vi-me de roupão, no meio da rua, brigando com o Senhor Sabe-Tudo. Cena de novela: atirei-me na frente do carro dele e disse:

— Daqui você não sai.

Ele, frio como um iceberg, respondeu:

— Só se você me disser que "mesmo" substitui palavra, que estou certo.

— Maurício, não me irrite! Já expliquei que "mesmo" não substitui palavra e ponto final.

Ele, divertindo-se com a situação, disse:

— Então, como ficaria a placa do elevador, Rainha da Língua Portuguesa?

— "Antes de entrar no elevador, verifique se este se encontra parado neste andar". Pronto, Maurício. Agora saia do carro. Os vizinhos já estão olhando. Não vê que estou de roupão?

— É mesmo? Coitadinha... Isso é para você aprender a não desconfiar de mim.

Deu ré e foi embora.

Então fiquei ali, na rua, de roupão, sem a chave do portão do prédio, à espera de um vizinho com quem eu pudesse contar.

E você, leitor, neste momento pergunta a si mesmo: mesmo? De roupão na rua?

Mesmo...

MORAL

É bom para o moral
É bom para o moral
É bom para o moral
E não é que a Rita Cadillac tinha razão?
O moral, masculino, significa disposição.
Não sei a que ela se refere na música, mas
foi bom para o moral da palavra “moral”.
Independentemente da moral que tanto
criticou o rebolado da eterna chacrete.

SOBRE METONÍMIAS

A regra dos chicletes

ão é preciso me conhecer muito para perceber que eu não tenho aquele perfil estereotipado de uma professora de escola. Mas, uma vez que sempre gostei de me desafiar, aceitei, assim que me formei em Letras, um convite para trabalhar em um colégio particular de Belo Horizonte.

Como eu passei os quatro anos da faculdade trabalhando apenas com pré-vestibulandos, o colégio era muito estranho para mim. Na condição de estudante, eu amava esse local; contudo, na condição de professora... Até gastrite nervosa eu desenvolvi. Juro.

Decidiram que eu ministraria aulas para o oitavo e o nono anos, o que gerou certo receio em mim pelo fato de os alunos serem muito novos e, na minha concepção, potencialmente bagunceiros. Mas, para o meu espanto, não foram os alunos que me causaram desgaste, mas a direção pedagógica. Socorro!!! Havia reuniões semanais tão contraproducentes que um professor utilizava as horas desse tedioso encontro para cortar as unhas. Eu sentia nojo dele naquela época, mas hoje vejo que era uma forma de protesto do professor em questão. Além dessas reuniões, existiam muitas normas estapafúrdias criadas pela coordenadora pedagógica, que, claramente, nunca havia dado uma aula sequer na vida. E uma regra com a qual eu nunca concordei foi a regra dos chicletes.

Antes que você diga que estudos comprovam que as gomas de mascar retiram a atenção do aluno, afirmo-lhe o seguinte: nunca um aluno meu deixou de prestar atenção na minha aula por causa de gomas de mascar, balas e afins. Ah, vale ressaltar que a história que conto agora gira em torno de uma metonímia, "chiclete". Sim... Trata-se da troca do nome da marca pelo produto, porque Chiclets nada mais é do que o nome de uma marca de gomas de mascar, que, de tão famosa, ficou mais conhecida do que o próprio produto. Aliás, quem fala goma de mascar? Você fala, leitor? Não, né? Ninguém fala. Esse caso de metonímia se aplica também a Bombril (ou você prefere dizer palha de aço?), a O.B. (pense em uma mulher pedindo um absorvente feminino de uso interno na farmácia), a Cotonetes (pegue aquelas hastes flexíveis com algodão nas pontas para mim?) e a outros vários exemplos. Mas voltemos ao que interessa, ao chiclete.

Eu não só descumpria essa regra dos chicletes, como também mastigava as tais gomas de mascar durante as minhas aulas. Mas é óbvio que eu não mascava como um ruminante, tampouco permitia que os alunos o fizessem. Valia mascar chicletes, mas não valia incomodar o coleguinha ao lado.

Um dia, a coordenadora pedagógica entrou em minha sala de aula justamente no momento em que eu acabara de colocar uma goma de mascar na boca. E, como você sabe, necessita-se de alguns segundos até que a guloseima em questão se acomode. É, inclusive, o único momento em que todos parecemos ruminantes. Bem, a coordenadora, sisuda como ela só, deu-me um bom-dia sem olhar para mim e foi transmitir algum recado para a turma.

— Bom dia.

Eu, obviamente, não podia responder. Virei-me para o quadro na tentativa de esconder a minha metonímia, digo, o meu chiclete, mas percebi que o meu esforço seria em vão, pois a goma ainda estava muito dura. Então, em um reflexo, aproveitando-me do fato de a coordenadora estar dois passos à minha frente, fiz a coisa mais feia e nojenta que se pode fazer dentro de sala de aula: grudei a goma de mascar debaixo da minha mesa.

Ela, obviamente, não viu, pois estava de costas para mim, mas os alunos... Estes não somente viram, como também não economizaram risos.

— Hahahahaha! A fessora é doida!

A coordenadora olhou para mim. Dei de ombros, como quem não estava entendendo a situação. Ela voltou a falar com os alunos. Um deles fez uma mímica para mim, por meio da qual ameaçava contar o que eu havia feito. Eu, também por mímica, respondi que tiraria os pontos de participação dele. Novamente:

— Hahahahaha! Isso mesmo, fessora!

Os estudantes divertiam-se com a situação. A coordenadora, desconfiada e irritada, perguntou-me, com o olhar, o que estava acontecendo.

Eu respondi:

— Pois é, dona Cleide, não se fazem mais alunos como os de antigamente...

Graças a Deus.

A VÍRGULA E O INFERNO

Esqueçamo-nos dos fatos bíblicos. Atentemo--nos para os fatos gramaticais. Quando lemos que Jesus, na cruz, disse ao ladrão "em verdade te digo que hoje estarás comigo no paraíso", cabe-nos a observação: com vírgula depois do "digo" (em verdade te digo, hoje estarás comigo no paraíso), Jesus garante ao bom ladrão a ida ao paraíso no dia em questão.

Entretanto, com vírgula depois do "hoje" (em verdade te digo hoje, estarás comigo no paraíso), Jesus deixa o pobre do bom ladrão à espera do dia da própria subida ao paraíso.

É... A vírgula, infernal, pode alterar até os dizeres de Jesus...

SOBRE FALSOS COGNATOS

Todo mundo fala inglês

Certa vez, depois de terminar mais um namoro, fui chorar as pitangas na casa de um grande amigo meu, o Rodrigo. Taça de vinho na mão, show da Celine Dion no YouTube. Pronto. Era só começar a ladainha. Pobre Rodrigo...

— Amiga, fica calma, vai passar.

— Eu estou cansada de terminar namoro, Rodrigo. Can-sa--da! E o pior: tô cansada de começar também.

— Pirou.

— Não! Pensa bem: sair pra jantar, ter de contar o que eu faço, ter de contar do que eu gosto, conhecer o cara, dar de difícil para ele valorizar, fingir que sou uma pessoa doce, que não sou ciumenta e possessiva, que sou segura... Você acha o quê? Você acha que é fácil? Isso enche!

— Mas...

— Mas nada. Desisti, sabe? Você vai dizer que ainda não apareceu o cara certo, que cada pessoa tem a sua hora, que sou legal...

Enquanto eu tinha o meu ataque verborrágico, meu paciente amigo abriu o computador e perguntou:

— Pra onde?

— Pra onde o quê?

Virei mais uma taça de vinho.

— Vou te mandar pra Espanha.

— Pra Espanha? Eu nem falo espanhol!

— Mas fala inglês. Todo mundo fala inglês.

— E vou com quem, seu louco?

— Sozinha.

— Ah, pronto. Pirou de vez. Quer que eu assine o meu atestado de encalhada postando foto no Instagram sozinha? Pra todo mundo ver?

— Você já tem trinta anos. Vai viajar sozinha sim. Tá precisando se encontrar. Ninguém vai te aguentar desse jeito.

E começou a digitar na velocidade da luz:

— Dez dias... Barcelona e Lisboa... Que dia você pode ir, Cíntia?

— Não sei. Rô, você tá doido? Calma.

— Estou comprando. Me passa o seu cartão.

Entreguei, apesar de estar apavorada com a ideia de viajar sozinha para outro país.

— A data?

— Data de ida? Acho que posso ir no dia 20.

— Dia 20... Volta no dia 30... Passagens de ida e de volta compradas! Depois a gente vê o resto. Agora bebe e para de reclamar.

Fechou o computador e olhou para mim com a cara mais normal do mundo.

Bem, a estratégia funcionou: de tão preocupada que fiquei com a tal viagem, parei de lamuriar por mais aquele fracasso amoroso.

Mas quem não gostou da ideia foi mamãe:

— Viajar sozinha? O Rodrigo está doido? Você sabia que Barcelona está na rota do tráfico feminino, minha filha? Sabia que você é morena do tipo exportação? Você não tem mãe?

— Calma, mãe...

— Você não vai sair à noite, vai? E se colocarem alguma coisa na sua bebida? Ai, meu Deus! E eu? Não vou dormir nem um dia sequer! Como vou ficar aqui?

Como se não bastasse o meu medo, minha mãe, hiperbólica, contribuiu para piorar a situação.

Mas fui. Entrei no avião tremendo como vara verde, mas fui. Tomei uns calmantes básicos e amanheci em Barcelona. Desci do avião, pisei o território europeu sozinha! Ah! A tal liberdade! Fui tomada por aquela sensação de que o mundo era um território que eu deveria explorar. O vento até bateu no meu cabelo para completar a cena excitante que eu protagonizava na fila do táxi. De repente... Uma coceira.

Uma coceira nas coxas e principalmente nas virilhas. Uma coceira insuportável. Saí do táxi, fui para o hotel, tomei banho e tentei entender o que estava acontecendo. Procurei os meus cremes e percebi que havia passado o ácido para a face nas pernas. Era a minha cara fazer isso! Provavelmente o longo contato da pele com a calça jeans justa havia gerado algum tipo de alergia. Liguei imediatamente para o seguro de saúde e fui para o hospital indicado. Daí começou a tragédia (tragédia que reportarei aqui com o meu portunhol ridículo):

— *¿Qué pasa?*

Eu não sabia falar espanhol nem catalão. Só inglês. Como eu explicaria para a atendente, que não falava inglês, o meu problema? Como explicar que a minha virilha estava pinicando? Para piorar, havia três homens atrás de mim na fila. Que vergonha!

— *¿Qué pasa? ¿Está enferma?*

Enferma, enfermidade...

— Si, mucho.

— *¿Qué siente?*

— Há um dolor, um ardor, una coceira. Coça mucho.

— *No comprendo.*

— Abarro. Lá embaixo. Ao lado de las partes bachas.

— *No comprendo.*

Quanto menos ela compreendia, mais coçava, mais as pessoas da fila olhavam para mim e mais sem graça eu ficava. Um caos. Resolvi, então, usar a linguagem compreendida pelo mundo inteiro: a mímica. Apontei, com as duas mãos, sem melindres, para as minhas virilhas e disse:

— Lo problema está aqui!

Depois disso, não só ela, mas também todos os presentes compreenderam a situação. Os homens da fila entreolharam-se, ela deu uma risadinha e perguntou:

— *¿Le pica?*

— Quê? Pica? No, no existe pica, não foi por causa de una pica.

A atendente, em um ato de solidariedade feminina, aderiu à mímica e coçou os braços, ensinando-me que picar era sinônimo de coçar.

— Uhhh! Pica mucho. Una picacion danada. Dá até calor.

Tive, então, um ataque de riso que somente professores de línguas teriam nessa situação: eu havia sido vítima dos falsos cognatos, aquelas palavras de sonoridade ou de grafia semelhantes, mas com significados diferentes, como a palavra inglesa *pretend*, que significa fingir, mas que muitos utilizam como sinônimo de pretender.

Finalmente a atendente me encaminhou para uma médica que, para o meu alívio, falava inglês.

Depois disso, viajei para outros sete países sozinha, mas continuo sem falar espanhol, já que, como diz o meu amigo Rodrigo, todo mundo fala inglês.

DIA A DIA

Parece que, depois da reforma ortográfica, o dia a dia ficou menos pesado. No mínimo a expressão "dia a dia" ficou: se antes era usada com e sem hífen, o que acarretava até mudanças semânticas e sintáticas, hoje ela caminha tranquila, apenas sem hífen, pela nossa vida, esperando a interpretação do leitor, que deve fazer todo o trabalho. O dia a dia, pasmem, surpreende dia a dia.

SOBRE PRONOMES DEMONSTRATIVOS

Tiro e queda

Poucos meses depois de formada, fui convidada para dar aula em um reconhecido curso preparatório para concursos públicos. Vamos chamá-lo de Curso A. Fiquei bastante entusiasmada na época, porque, na área de língua portuguesa, eu era muito mais nova do que os demais professores, o que deveria significar um reconhecimento precoce da minha competência. Mas alegria de professor – aliás, de professorA principalmente – novato em geral dura pouco.

Atente-se para o contexto: eu, com 26 anos, tinha, no mínimo, a idade dos meus alunos e era, no mínimo, quinze anos mais nova do que os meus colegas de profissão. Nada melhor para a criação de intrigas e de fofocas.

Bem, o caso foi que uma professora de renome, com bastante tempo de mercado, cismou comigo. E cismou tanto que, dizem as más-línguas, ela teria infiltrado alguém nas minhas aulas, até esse alguém encontrar um erro por mim cometido. Esse lapso, fatalmente, ocorreu: foi um equívoco na explicação dos pronomes demonstrativos.

Daí fui chamada pela Coordenação:

— Professora Cíntia, você cometeu um erro na sua explicação sobre os pronomes demonstrativos.

Naquela época, cada turma tinha uns cem alunos. Eram dez turmas. Pense no tamanho do estrago.

— Qual erro?

— Não sei dizer, mas sei que é coisa da professora Maria

Auxiliadora. Ela não aceita a sua presença. Diz que você não tem idade nem competência para estar aqui. Antes de falar com você, expliquei o caso para o diretor.

— E ele?

— Pediu para você se retratar com as turmas.

— Claro! Pode deixar.

— Esquisita a professora Maria Auxiliadora, né? Cíntia, ela é espírita, dessas que não saem do centro. Estranho... Se ela é tão religiosa, deveria colocar a religião em prática.

— Deveria...

Na aula seguinte, pesquisei a respeito do meu erro e retratei-me com as turmas:

— Gente, na semana passada, eu afirmei que, na alusão a termos precedentes, o pronome demonstrativo "esse" pode recuperar o elemento no meio de uma enumeração. Se não me engano, dei como exemplo o seguinte excerto: João, Pedro e Carlos são amigos. Este, no caso o Carlos, formou-se em Medicina; esse, no caso o Pedro, formou-se em Odontologia; e aquele, no caso o João, formou-se em Direito.

— Foi isso mesmo, professora.

— Pois então: no caso de alusão discriminada a termos anteriores, o pronome "esse", quando vem sozinho, não recupera nenhum elemento, apenas o pronome "este", que recupera o último termo referido, e o pronome "aquele", que recupera o primeiro termo referido.

— Não tem como recuperar o do meio, então?

— Não com o uso de pronomes demonstrativos, mas com o uso de sinônimos, por exemplo.

— Mas uma professora minha me ensinou que tem.

— Sim. Eu também aprendi que tinha. Mas, como vocês vão prestar provas para concursos públicos, devemos nos basear no gramático Celso Cunha, cuja obra é uma bíblia para os concursos. E essa é a explicação dele. Tudo bem?

— Tudo bem, professora.

— Desculpem-me o deslize.

Explicada a confusão gramatical, prossegui com a matéria.

Mas a professora Maria Auxiliadora, que de auxiliadora nada tinha, não satisfeita com o ocorrido, prosseguiu com as demonstrações públicas de desafeto a mim: falava mal das minhas aulas em sala, virava o rosto para mim na sala dos professores... Era um verdadeiro inferno. Daí eu tive de recorrer à minha avó, conhecida por ter uma ligação muito íntima com Deus. Ela pedia, e a coisa acontecia. Vovó era tiro e queda. Liguei para ela e contei o caso.

— Não se preocupe, minha santa. — Ela sempre me chamava assim. — Essa senhora deixará você em paz. Vou rezar para ela ser feliz e esquecer você.

— Obrigada, vovó. Não posso perder esse emprego agora.

Dias depois, a vovó perguntou:

— A Maria Auxiliadora já deixou você em paz?

— Não, vovó. E a coisa só piora. Estou quase pedindo demissão.

— Não peça. Aos olhos de Deus, vocês são irmãs. Fique calma. Ela vai embora.

— Jura que ela vai embora?

— Juro. Ela vai embora.

Meses depois, eu fui demitida. A Maria Auxiliadora tanto fez que conseguiu. Tudo por causa dos malditos pronomes demonstrativos... Contudo, uma coisa eu não entendia: como a vovó havia falhado? Ela nunca falhava...

Depois de dois anos, já dando aula no concorrente do Curso A, a minha querida avó adoeceu e faleceu. No dia do velório, entorpecida pela dor, eu não acreditei quando vi professores do Curso A lá.

— Meus sentimentos, Cíntia.

Eu, sem entender aquelas presenças e sentindo-me até invadida, nem me lembrei de agradecer e perguntei:

— O que vocês estão fazendo aqui? Eu não convidei ninguém do cursinho. É o velório da minha avó!

— Você não viu? Esse velório aqui ao lado é da Maria Auxiliadora. Morreu hoje também. Coitada... Foi embora.

A piada é fúnebre, mas precisamos admitir que a minha avó era tiro e queda.

Seguem, abaixo, dois quadros para que você nunca erre ao usar os pronomes demonstrativos:

Pronomes demonstrativos

VARIÁVEIS MASCULINOS	VARIÁVEIS FEMININOS
Este(s)	Esta(s)
Esse(s)	Essa(s)
Aquele(s)	Aquela(s)

ALUSÃO A TERMOS PRECEDENTES	PRONOME ADJETIVO DEMONSTRATIVO
O demonstrativo *aquele* para o referido em primeiro lugar, e o demonstrativo *este* para o referido em último lugar. ***Exemplo:*** Vida sem arte? Aquela, indubitavelmente, acaba sem esta.	Trata-se de casos em que o pronome, além de demonstrar, acompanha o substantivo. Nessa situação, deve-se utilizar o pronome *esse* para o que já foi mencionado e o pronome *este* para o que ainda será mencionado. ***Exemplos:*** Não dispenso meditações durante a primeira hora do meu dia. Essa prática (observe que a meditação já foi mencionada e que o pronome *essa* acompanha a palavra *prática*) é revigorante. Este homem, Barack Obama, (observe que Barack Obama não havia sido mencionado e que o pronome *este* acompanha a palavra *homem*) foi o primeiro presidente negro dos Estados Unidos.

ESPAÇO	TEMPO
Os demonstrativos *este*, *esta* e *isto* se referem àquilo que está perto de quem fala. ***Exemplo:*** Tenho, em minhas mãos, este resultado da prova, o qual não me alegra. Os demonstrativos *esse*, *essa* e *isso* se referem àquilo que está próximo de quem ouve. ***Exemplo:*** Pegue, por gentileza, essa caneta ao seu lado. Os demonstrativos *aquele*, *aquela* e *aquilo* se referem a algo que está distante de quem fala e de quem ouve. ***Exemplo:*** Vamos àquela padaria da esquina?	Os demonstrativos *este*, *esta* e *isto* se referem ao tempo presente em relação à pessoa que fala. ***Exemplo:*** Neste momento, apenas desejo paz. Os demonstrativos *esse*, *essa* e *isso* se referem ao tempo passado ou futuro com relação à época em que a pessoa que fala se coloca. ***Exemplo:*** Esse ano foi muito produtivo para mim. Esse ano que virá será melhor para a nossa família. Os demonstrativos *aquele*, *aquela* e *aquilo* se referem a um passado remoto ou vago para a pessoa que fala. ***Exemplo:*** Naquele tempo, eu não sentia tanto cansaço como sinto hoje.

COR-DE-ROSA

O que há de tão especial com a expressão cor-de-rosa? Nada.

E tudo. Depois da reforma ortográfica, essa é a única cor (da família das “cores de”) com hífen, por ser uma “expressão consagrada pelo uso”.

Consagrada por quem, cara-pálida? Pela pantera. Só pode.

COR-DE-ROSA

O ÓCULOS OU OS ÓCULOS?
Santos

Em quinze anos de trabalho, se eu recebi, de alunos, cinco cantadas ou declarações de amor foi muito. Aliás, no início da carreira, tinha tanto pavor de me tornar a "professora-fetiche" que eu usava óculos de grau falsos, na vã tentativa de afastar pensamentos impuros dos discentes. Eis a história desse inútil esforço.

Eu lecionava, em um pré-vestibular de Belo Horizonte, uma das matérias mais temidas: gramática da língua portuguesa. E fazia das tripas coração para achar meios de tornar essa disciplina menos pesada a fim de que os estudantes se concentrassem. Mas havia um aluno cuja concentração me desconcentrava. Vamos chamá-lo de Santos (tenho a mania de chamar os estudantes pelo sobrenome, já que os pais são pouco criativos na tarefa de nomear os filhos).

Eu passava a matéria no quadro, olhava para a turma: todos estavam copiando, menos o dito-cujo, que não tirava os olhos de mim.

— Não vai copiar, Santos?

— Tenho essa matéria anotada, professora. Esqueceu que sou repetente? Prefiro me concentrar na senhora escrevendo. Minha memória é visual.

— Memória visual... Tá bom.

E eu prosseguia com a matéria. E ele prosseguia com os braços cruzados, o sorriso levemente debochado e o olhar concentrado no meu.

Na semana seguinte, observei que os olhos de Santos fitavam os meus incessantemente.

— Tudo bem, Santos? Entendeu a matéria?

— Entendi tudo.

Depois disso, dei uma aula usando óculos escuros e acusei um resquício de conjuntivite, mas com a intenção de observar a reação do Santos, que nem sequer olhou para mim.

— Entendeu a matéria, Santos? Você passou a aula toda olhando para o caderno.

— Tenho ouvidos, professora.

— Mas a sua memória não é visual?

— Era.

— E o que mudou?

— Nada.

A próxima aula seria a última do ano... Fui novamente com os óculos de grau, crendo que aquele olhar do Santos tinha algo a ver com os óculos, mas crendo também que eu, curiosa, morreria com a minha curiosidade.

Como eu imaginava, o olhar penetrante havia voltado. O problema era mesmo com os óculos. Mas eu não ousaria perguntar o motivo.

— Entendeu a matéria, Santos?

— Entendi tudo.

— Memória visual, né? Não copiou nada durante o ano todo.

— Memória visual, professora. Ela voltou.

Despedi-me da turma, que rapidamente foi embora. Enquanto eu apagava o quadro, ouvi uma voz:

— Professora.

Virei-me. Era o Santos.

— Posso dar um conselho pra senhora?

— Claro. O que houve? Algo com a aula?

— Não. Com o seu óculos.

— Com os meus óculos. Apesar de ser um objeto só, cada lente é um óculo. Então diga os óculos, tá?

— Tá. Não vai ficar com raiva do que vou dizer?

— Não vou. Você acha que devo usar lentes. É isso?

— Vou responder, mas com todo o respeito, tá, professora?

— Sim.

— Não venha mais com esses óculos de grau...

— Por quê?

— Porque, todas as vezes em que a senhora vinha com esses óculos de grau, eu ficava imaginando a senhora só com eles e com um chicote na mão me perguntando: "Sujeito ou predicado?".

— Sei...

— Entendeu, professora?

— Entendi tudo.

Obviamente, depois desse episódio, parei de usar os tais óculos de grau, uma vez que poderia haver mais alunos como o Santos, que de santo não tinha nada.

CARROS VENDIDOS

— Vendem-se carros.

— Quem vende, professora?

— Não sei.

— O sujeito é indeterminado então, Cíntia?

— Não. O sujeito é "carros". Por isso o verbo está no plural.

— Mas quem vende???

— Já disse que não sei.

— E o sujeito não é indeterminado?

— Não é. Mas em "precisa-se de carros" é.

— Por quê?

— Ora, porque eu não sei quem precisa.

— Mas você também não sabe quem vende.

— Não sei mesmo.

— Então?

— O importante é que os carros serão vendidos.

SOBRE CLICHÊS

O falecimento da esperança

Solteira, 34 anos, workaholic. Essa é a combinação perfeita para preencher a vida daqueles amigos que, travestidos de cupidos, insistem em arrumar um namorado para a amiga encalhada.

O mês era dezembro, o que já bastava para me deixar mal-humorada. Nunca gostei do Natal, tampouco do Réveillon. Agora você está pensando: "Que mulher chata!". Não sou chata, apenas não suporto o vazio contido nas expressões "feliz Natal" e "feliz ano-novo". Sempre tive horror às frases clichês. Mas, enfim, voltemos à vaca fria, porque você quer saber o que houve com o ex-futuro pretendente da vez.

Grazi, minha incansável amiga:

— Um encontro, amiga. Não custa! Só um.

— Custa, sim. Eu poderia dormir, eu poderia acordar cedo e malhar, eu poderia ler...

— Ler! Então, amiga! O Fernando é tipo você. Gosta dessas coisas intelectuais.

— Lá vem você com homem botequeiro pra cima de mim. Intelectual gosta de quê? De boteco. Você sabe que eu detesto botecos.

— Não, amiga. Esse entende de vinho, não sai de restaurante bacana. Seu número.

— E faz o que da vida?

— É empresário e atleta. Corre nessas maratonas pelo mundo.

— Intelectual, sofisticado, sarado e empresário? Bom demais pra ser verdade. É gay. Só pode. Tem Instagram? Quero ver foto.

— Ele não tem rede social e não coloca foto no WhatsApp. Mas é um gato! Garanto.

— Suspeito...

— Você vai. Combinado?

Era impossível resistir à incansável insistência da Grazi. Fui.

Ficou combinado que o tal Fernando estaria na minha casa às nove horas. Como odeio encontros desse tipo... Sinto-me naquele programa antigo *Quer namorar comigo?* ou no Tinder. Acho muito estranho.

Ele chegou pontualmente. Abriu a porta do carro, foi gentil. A música também estava boa.

— Quer dizer que você é professora, hein? Que legal!

— Sim. Obrigada.

— O professor deveria ser mais valorizado, pois o jovem é o futuro da nação.

Nossa, que brilhante! Não me diga.

— Sim... E você é empresário, né?

— Verdade. Mato um leão por dia.

Naturalmente... Todo empresário diz isso.

Alguns minutos depois, chegamos ao restaurante.

Ele, conforme previsto pela Grazi, escolheu um excelente vinho.

— Adoro o Natal, Cíntia! Época de reunir a família, né?

Socorro. Quero ir embora!

— Época de muita falsidade também.

— Mas do Réveillon você gosta, né? Traçar metas, pular as ondinhas. Você tem cara de quem pula ondinhas.

Pular ondinhas? Quem tem cara de que pula ondinha?

— Não traço metas apenas em janeiro.

— Como uma mulher como você pode estar sozinha?

Porque existem imbecis como você.

— Trabalho muito. É isso.

Só falta ele dizer...

— É que não apareceu a pessoa certa.

Disse.

— É. Ela deve estar em algum lugar. No planeta em que os clichês são proibidos, provavelmente.

— Já te saquei: você faz o tipo durona, mas é uma menininha por dentro. Adoro desafios.

Afff!

— Todo mundo tem a tampa da panela, ninguém é feliz sozinho e, no final, o amor sempre vence. Você vai ver.

Saí com um clichê ambulante.

— Você gosta de cozinhar?

— Não. Não sou muito prendada.

— Quando você encontrar o cara certo, vai querer cozinhar pra ele.

Já me vejo no curso de culinária.

— Filhos? Você quer ter quantos?

Uma dúzia.

— Não sei se quero ter.

— Você diz isso porque...

— Porque não encontrei o cara certo, né?

— É. Como você sabe?

Vou fingir uma gastrite. Ele não sabe que todo clichê é previsível? Não é possível que ele não perceba quanto essas frases prontas retiram o valor das palavras, das emoções, dos sentimentos.

— O papo está ótimo, mas o vinho me deu uma dor de estômago... Tenho gastrite, sabe? Podemos ir embora?

— Que pena... Não quer estender lá em casa? A noite é uma criança...

Ridículo. Babaca.

— Não, obrigada.

— Olha, olha, a gente não sabe o dia de amanhã. A única certeza que temos na vida é a de que morreremos.

Verdade? Você poderia morrer tipo agora?

— Quero ir pra casa.

— Não vou insistir, afinal tudo tem o seu tempo.

Deixou-me em casa. Agradeci e saí do carro. Ele, não satisfeito, finalizou:

— A esperança é a última que morre, viu?

A dele eu não sei, mas a minha, que já estava em coma, faleceu naquela noite.

MUÇARELA

A professora de português Jussara monta uma lanchonete.

Na hora de escrever o cardápio, é terrivelmente combalida por uma dúvida: seguir a norma culta e escrever "muçarela" com cê-cedilha ou ceder ao comercialmente comum e, esfaqueando os dicionários, escrever "mussarela" com duplo "s"?

Esfaqueou os dicionários. Antes eles do que o próprio bolso.

POR CAUSA QUE OU POR CAUSA DE?

Túlio

á muitos anos, tive o prazer de conhecer Túlio, um aluno de quem nunca vou me esquecer. Ele, já no primeiro dia de aula, demonstrou ser um sedutor nato:

— Oi, professora, rainha da redação. Minha mãe disse que só você dará um jeito em mim.

— Sério?

— O meu conhecimento gramatical é muito ruim, professora. Minha mãe diz que, com essa gramática, não passarei no vestibular. Mas eu já disse pra ela que o importante no português é a comunicação, não é?

Pronto. Esse é o típico argumento de quem tem preguiça de estudar a gramática.

— Não. Não é. Aqui você vai aprender que não.

Ledo engano...

A verdade é que, pautado nesse discurso de que o importante é a comunicação, Túlio passou a se comunicar mais do que deveria com os demais alunos. Veja:

— Túlio, pare de conversar. Não vê que estou explicando a matéria?

— Estamos falando sobre a matéria, professora. Mas não fique brava, por causa que o importante na vida é a comunicação. Estamos nos comunicando!

— Por causa quê? Essa expressão não existe!

— Fessorinha, o importante é a comunicação.

Ele só foi pontual no primeiro dia. Nas aulas seguintes, chegava sempre nos últimos trinta minutos.

— Túlio, assim não dá.

— Professora linda, eu me atrasei por causa que estava em uma reunião da comissão de formatura. Tenho as minhas responsabilidades.

— Já sei: é a comunicação, né? Pois agora eu é que vou me comunicar com a sua mãe. E pare de falar "por causa que"! Chego a ficar arrepiada. Diga apenas "porque" ou "por causa de".

Liguei para a mãe dele:

— Professora Cíntia, eu já não sei mais o que faço com ele... Mas não tire o Túlio do curso da senhora... As coisas estão difíceis aqui em casa por causa que eu me separei do pai dele recentemente.

Por causa que... Entendi.

Na semana seguinte, após uma hora de aula, Túlio chegou com flores arrancadas de algum jardim.

— Para a mais fascinante das professoras.

— Túlio, você sabe que eu não me responsabilizo pelas suas notas, né?

— Credo... Não vai agradecer? Trouxe flores para você.

— Obrigada.

Quando Túlio não ia à aula, ainda assim ele desconcentrava os alunos.

— Por que vocês estão rindo?

— O Túlio mandou dizer que te ama, mas que o dever o chama. E fez um poema para você.

— Poema?

Cíntia, Cíntia minha,
O que posso te dizer?
Apesar das minhas faltas,
Eu não vivo sem você.
Cíntia, Cíntia minha,
Por que tem que ser assim?
Você, professora, e eu ainda no jardim.

A espirituosidade dele era inegável.

Chegaram os vestibulares de inverno. E, pela primeira vez na vida, eu torci para que um aluno meu fosse mal na prova. Pensei que, se ele obtivesse uma nota ruim, tomaria jeito.

Novamente: ledo engano... Túlio não só tirou 9,5 em 10 na redação de uma concorrida faculdade como também quase foi aprovado. Mas como? A gramática dele era péssima (desconfio, inclusive, que ele mandou alguém corrigir os erros do poema que fez para mim), ele mal assistia às minhas aulas e matava as que podia no colégio.

Depois disso, Túlio, crendo ser o próprio Machado de Assis, tornou-se um visitante na minha sala de aula. Raramente aparecia. A mãe, ainda entristecida devido ao término do casamento, implorava para que eu não o retirasse do curso.

— Meu filho está traumatizado *por causa que* as coisas só têm piorado aqui em casa, professora. Não dê mais esse peso a ele.

Conformei-me não só com o "por causa que", mas também com a situação.

Sempre que Túlio aparecia nas aulas, levava algum presente.

— Vi esses brincos em uma loja e achei a sua cara, professora.

— E os estudos, Túlio?

— Relaxa. Tudo na vida é comunicação.

Quinze dias depois:

— Bombons, professora. *Por causa que* você merece, né? Trabalha tanto...

— Está estudando, Túlio?

— Relaxa, fessora do meu coração! Tudo na vida é comunicação.

Túlio abandonou o curso um mês antes de o ano letivo acabar e foi aprovado em administração pública. Tive notícias recentes de que se formou e tornou-se um vereador bastante popular em uma cidade do interior de Minas. Mas o que mais me causou espanto foi o slogan da campanha dele:

Vote em Túlio, por causa que ele se comunica por você.

É... Tudo na vida é comunicação.

CHOVEM CANIVETES

— Choveu muito ontem. Oração sem sujeito.

— Por quê?

— Quem seria o sujeito, aluna querida? São Pedro?

— Certamente não... Então sempre que chove é sem sujeito?

— Não.

— Não???

— Podem chover canivetes. Chovem canivetes.

— Daí canivetes seria o sujeito, Cíntia?

— Sim.

— Mas...

— O quê?

— Quem jogou os canivetes de lá de cima?

— São Pedro.

Inconformada, fechou o livro e foi embora.

AO ENCONTRO DE OU DE ENCONTRO A?

Hoje ele crê

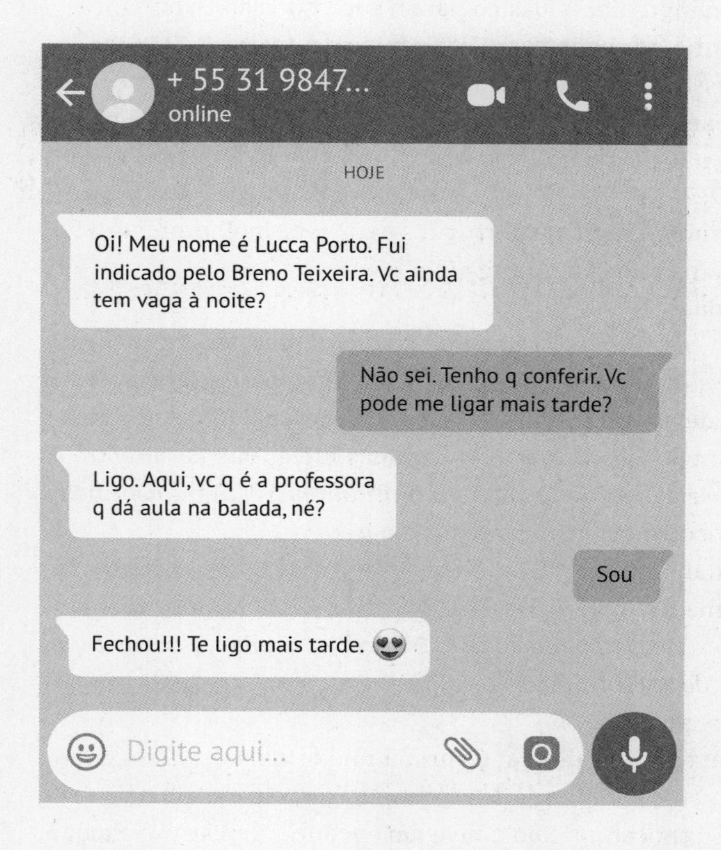

Esse foi o início de uma linda relação professora/aluno, que só me deu orgulho.

Eis a história de Lucca Porto...

Oriundo de uma família tradicional de Belo Horizonte, Lucca havia desfrutado e desfrutava as melhores oportunidades que o dinheiro e o bom nome podem proporcionar: relacionamentos sociais interessantes para o futuro profissional, intercâmbios estudantis, viagens inesquecíveis e festas badaladas. Completando o roteiro da "vida perfeita", ele ainda vinha de uma família muito amorosa, cuja dedicação ao garoto era visível aos olhos de qualquer um.

Contudo, como nem toda vida perfeita é perfeita, faltava a Lucca um ingrediente básico para o sucesso: a autoconfiança.

— Cíntia, será que passo até o meio do ano?

— Passa. Se você for *ao encontro dos* seus objetivos, você passa. Mas, se você continuar nessas festas, irá *de encontro a* eles. Daí você não passa.

— Quê?

— Primeira regra de português para você melhorar o seu vocabulário na redação. Anote aí.

— Fala.

— *Ao encontro de* dá ideia de convergência, de encontro. *De encontro a* dá ideia de divergência, de choque. Por exemplo: as minhas ideias vão *ao encontro das* suas, ou seja, nós temos ideias semelhantes. E o contrário: as minhas ideias vão *de encontro às* suas, ou seja, nós temos ideias conflitantes. Há até uma música em que ocorre um erro em relação a isso.

— Qual?

— Uma do Jorge e Mateus. *Seu olhar foi de encontro ao meu / O meu destino está junto ao teu / Meu vício, mania, eu desvendei os mistérios do seu coração.*

— Sei qual é.

— Então. A intenção aí é afirmar que os olhares se cruzaram. Mas, na verdade, ao usar *de encontro a*, gera-se a ideia de que os olhares se chocaram. Não houve um encontro, houve um choque.

— Tá. Mas o que é pra eu fazer então?

— Para ir *ao encontro da* aprovação em medicina?

— Sim.

— Parar de sair. Encontrei com o seu irmão na academia, e ele me falou que você está saindo demais. Uma balada atrás da outra.

— Você conhece o meu irmão?

— Há muitos anos.

— Hummm. Que doido.

— Pois é. Então trate de largar essa vida social agitada para ir *ao encontro do* seu sonho.

— Caso contrário, irei *de encontro a*, né?

— Viu? Você aprende rapidamente.

Nem tão rapidamente, leitor... Depois disso, Lucca, determinado, largou todas (digo, quase todas) as festas e comprometeu-se verdadeiramente, mas a evolução dele era lenta. Não que ele não tivesse competência, pelo contrário. O problema de Lucca era a autoestima. Ele não acreditava de modo genuíno na aprovação.

— Lucca, você precisa melhorar hoje! Pelo amor de Deus! Que redação confusa foi essa?

— Tá vendo? Não tenho potencial pra isso não. Acho que vou *de encontro à* medicina desse jeito... Não tô vendo possibilidade nenhuma de esse tal encontro aí acontecer...

Nessa altura do campeonato, percebi que, no caso do Lucca, eu tinha duas rivais: a baixa autoestima do garoto e as festas. Na tentativa de minimizar sua frequência a elas, ligava para o irmão dele sempre que ouvia falar de alguma balada que poderia interessar ao aluno em questão:

— Vai ter uma festa no sábado. Todos os amigos dele vão, mas ele não pode ir. Conto com você, hein? Preciso de ajuda nessa empreitada.

Não satisfeita, eu falava com os amigos dele também:

— Parem de chamar o Lucca pra sair. Ele precisa ser aprovado até o meio do ano.

Enfim, eu montei uma estrutura secreta e sólida para que o menino fosse aprovado.

Três meses depois, suas redações mudaram da água para o vinho:

— Lucca, você conseguiu. Seus textos estão ótimos!

— Tá me zoando... Sério?

— Conseguiu. Olha aqui!

— Não... Corrige de novo. Tá falando sério?

— Agora você está duvidando de mim também?

Duvidando de si ou não, ele conseguiu. Foi aprovado em medicina nos vestibulares do meio do ano. Talvez ele tenha crido (sim, o correto é crido) em si apenas depois da aprovação. Talvez ele tenha crido em si na hora da prova. Talvez ele tenha crido em si durante as aulas. Não sei. Mas sei que, se ele não cria, hoje ele crê.

PRECONCEITO CONTRA

— Tenho preconceito com isso, Cíntia.

— Tem? Quem é esse tal de isso?

— Como?

— Você disse que você e o isso têm preconceito juntos.

— Não tem isso nenhum.

— Que tem, tem. Mas o problema é com o com.

— Que com?

— Ele não existe.

— Se ele não existe, como o problema é com ele? Papo de doido...

— Ele não existe porque o preconceito é contra.

— Agora o preconceito é contra alguma coisa? Afff... Contra o quê?

— Não sei. O preconceito é seu. Você tem preconceito contra o quê?

— Contra isso, ué!

— Pronto. Acertou.

— Preconceito contra isso. É assim?

— Sim. Preconceito contra isso. Mas me diga uma coisa.

— O quê?

— O que é o isso?

— Já nem sei mais.

SOBRE O MODO IMPERATIVO

Cinquenta tons de Cíntia

Há alguns anos, conheci um homem de personalidade intrigante, cujo uso excessivo de verbos no modo imperativo chamaria a atenção até do interlocutor mais desatento. Vamos chamá-lo de Roberto (o que não diminui o meu medo de ele se reconhecer nesta história e vir tirar satisfações imperativas comigo).

Conhecemo-nos virtualmente por termos adoração pelo Elvis Presley. Aliás, já comentei que tenho uma tatuagem no pulso com o autógrafo do Elvis? Pois tenho. Essa paixão começou quando eu tinha uns dez anos e vi o filme *Elvis e eu*. O mais inusitado é que ninguém me influenciou a gostar dele. Minha mãe, inclusive, sempre diz: "Muito feio ter uma filha macaca de auditório... Nem eu ficava assim pelos Beatles". Caso psiquiátrico, leitor.

— Vi que você é fanática pelo Elvis. Eu também gosto demais dele. Vou te mandar umas fotos que tenho com a Priscilla Presley.

— Mentira! Você conheceu a Priscilla? Como assim?

— Sou produtor musical. Convivi um pouco com ela por causa da minha profissão.

Pronto. Eu havia mordido a isca. Mal sabia o que estava por vir...

Começamos a manter contato pelo WhatsApp. A cada dez verbos que ele utilizava, seis estavam no modo imperativo:

"Onde você está, Cíntia?"

"Em Roma."

"Com quem?"

"Sozinha."

"Hum... Então COMA espaguete à *carbonara* no restaurante Al Moro e PEÇA um Brunello. Depois me conte."

"Tá bom."

"E agora? Onde você está?"

"Veneza."

"PEÇA *carpaccio* no Harry's bar e PROVE o Bellini de lá."

"Tá bom."

Ele parecia um *Guia Michelin* ambulante.

Voltei para o Brasil e engatamos conversas diárias por mensagens. Ele sempre se demonstrava preocupado comigo:

"Você dorme muito tarde. DURMA mais cedo. CUIDE mais da sua saúde. Não quero que você adoeça."

Nós não nos conhecíamos, tampouco havíamos ouvido a voz um do outro. E ele estava preocupado com a minha saúde... E eu não estava entendendo nada, mas havia sido tomada pela curiosidade.

Meses depois, fiz uma viagem para Las Vegas com uma amiga. Ela resolveu dormir, e eu desci para um restaurante do hotel. Pedi uma taça de vinho.

"TIRE uma *selfie*. Quero ver se você está bem. Acordei com o pressentimento de que você está mal."

De fato eu não estava tão bem naquele dia. Tirei a *selfie* e mandei para ele.

Ele não respondeu. Fiquei intrigada, mas preferi não falar nada. Quando pedi a conta, o garçom disse:

— A senhora não pode ir embora agora.

— Por quê?

— Porque há um presente de um brasileiro para a senhora. Está quase pronto. Por favor, aguarde.

Eu não havia dito para ninguém o nome do hotel onde eu estava hospedada, também não havia tirado fotos dentro do hotel. Além disso, havia tantos restaurantes naquele local que seria impossível uma pessoa me achar ali. Como assim? Comecei a olhar para todos os lados à procura de um rosto conhecido. Nada. De repente, a surpresa:

Uma taça do mesmo vinho que eu estava tomando e um coquetel de camarões. O garçom havia sumido. Continuei sem entender. Quando levantei a taça, um bilhete:

APROVEITE o jantar. SEJA feliz. Estou sempre com você. Roberto Rennó.

Fixei o olhar naquele bilhete por alguns segundos. Depois olhei para todos os lados novamente. Nada... Liguei para ele. Não atendeu. Era um jogo? Horas depois, uma mensagem:

"Gostou?"

"Gostei, mas dá pra explicar?"

"OLHE para a *selfie* que você mandou. O nome do restaurante está no fundo. Passar o cartão de crédito pelo telefone não é tão difícil, Cíntia Chagas."

"Sei... E pra que isso?"

"Para ver você feliz."

Feliz ou desconcertada? Enfim, voltei novamente de viagem. Prosseguimos com as mensagens. Achei que, depois daquela manifestação de preocupação comigo, ele iria até a minha cidade. Mas nada. O Senhor Verbos Imperativos gostava mesmo era de jogar.

Fui para Búzios com dois amigos. Novamente não contei para ele em qual hotel eu estaria. Até porque ele não perguntou. Aliás, ele estava um pouco sumido. Não dava notícias havia quatro dias. Confesso que isso aguçava a minha curiosidade.

No segundo dia, voltando da praia, entrei no meu quarto e quase caí dura: a minha cama estava coberta de flores. No meio dela, um bilhete:

APROVEITE esse paraíso. SEJA feliz. Estou sempre com você. Roberto Rennó.

Como assim? Liguei para o Roberto, furiosa:

— Alô.

Era a primeira vez que eu escutava a voz dele.

— Escuta aqui, Roberto, até que dia você vai bancar o Christian Grey?

— Vou para Belo Horizonte na semana que vem. AGUARDE. E NÃO me LIGUE até lá.

Desligou. Eu não sabia mais se estava vivendo *Cinquenta tons de cinza* ou *Jogos mortais*.

Na semana seguinte, no fim de uma aula, chegou uma mensagem. Era o compartilhamento da localização dele naquele momento: ele estava no shopping onde ficava o meu cursinho.

Comecei a suar frio. Ele estava na portaria? Com a graça de Deus, faltavam dois minutos para a aula acabar. Os alunos não perceberiam o meu desconcerto. Assim que terminei, recebi uma mensagem:

"DESÇA em cinco minutos. ENTRE no carro preto que está parado no estacionamento a vinte metros do shopping."

Pronto. Definitivamente ele era o Christian Grey.

Entrei no carro. Ele disse apenas "oi".

Fomos jantar. Fui ao toalete ligar para a mamãe, que já sabia de toda a história.

— Mãe, estou com ele.

— Com o Senhor Verbos Imperativos?

— Sim. O que eu faço?

— Uai... Você escolhe sair com um psicopata e vem me perguntar o que faz? Vai embora.

— Não quero, mãe. Acho que gosto dele.

— Cada louco com a sua mania. Depois não diz que eu não avisei.

Voltei para a mesa. Ele me olhou com toda a ternura do mundo, apertou as minhas mãos e disse:

— FIQUE. E isso não é uma ordem, é um pedido.

Ordem ou pedido são as manifestações do modo imperativo... Ele usava tanto esse tipo de verbo que até sabia brincar com o conceito gramatical. Então, obedeci e fiquei. E não permaneci na vida de Roberto Rennó por pouco tempo, uma vez que a ordem de ir embora nunca ocorreu, pelo contrário.

Contudo, para a minha surpresa, aconteceu o inevitável: como ambos detínhamos personalidades imperativas, as brigas tornaram-se constantes. Eu, impaciente, comecei a ficar irritada com o modo imperativo dele. Passamos, assim, a viver uma montanha-russa de emoções. E ele, não tão imperativo como eu pensava, voltou para uma antiga namorada, que até hoje eu não sei se está mais para objeto direto ou para sujeito paciente.

Ah! Permaneço sem saber como ele descobriu o hotel de Búzios. Ele diz que jamais saberei.

PLEON

EXAGERAR MUITO

— "Exagerar muito" é pleonasmo.

— Claro que não, professora Cíntia.

— Claro que sim! Se você exagera, já é muito.

— Posso exagerar muito ou pouco ao exceder o limite do bafômetro, professora.

— Não deixa de ser verdade...

— Então?

— Mas quem corrigirá a sua prova, nobre advogado, será um professor de língua portuguesa, não alguém do direito.

— Que baita pleonasmo é esse exagerar muito, hein, professora?

— Não disse?

SOBRE VOCATIVOS

Fé e balada

A ideia de ministrar aulões de revisão em baladas surgiu da necessidade de reunir todas as minhas turmas para rever o conteúdo dos vestibulares. Eu já havia dado esse tipo de aula em hotéis, mas considerava o ambiente das salas de conferência muito sério e pouco acolhedor para um momento tão estressante da vida do pré-vestibulando. Eu queria um local que tivesse energia, que jogasse os alunos para cima. Então pensei: será na balada, claro! E deu certo.

Deu tão certo que, após ministrar aulões em baladas durante dois anos, um canal de televisão entrou em contato comigo para fazer uma matéria sobre o tema. Só havia um problema: o evento ocorrera uma semana antes de me procurarem. Pois bem. Leia a quase tragédia que vivi:

Era noite de segunda-feira. O Enem seria no sábado seguinte. Meu celular tocou.

— Professora Cíntia Chagas?

— Sim.

— Sou editora do Jornal X. Gostaria de conversar com você sobre o aulão na balada.

Jesusssssss! Fingi normalidade.

— Sim, sim. Claro. Tudo bem?

— Tudo bem. Como o Enem ocorrerá nesse sábado, gostaríamos de saber se haverá aulão nesta semana.

Socorro! Por que vocês não me ligaram na semana passada?

— Claro! Haverá.

— Que dia?

O dia, Cíntia. Pense no dia. É... É...

— Quinta-feira.

— O horário?

É... Os alunos saem dos colégios às cinco e meia da tarde... Até chegarem lá...

— Às sete da noite.

— Sei. E será beneficente?

— Claro! Sempre.

— Onde será?

Socorro! Onde? No mesmo lugar da semana passada, Cíntia.

— No Lounge Vitta.

— Sei... Com DJ?

— Claro! Balada tem DJ, né? Hehe!

Meu Deus! Qual DJ estará disponível na quinta? Assim? De última hora?

— Que interessante o seu trabalho! Retornaremos amanhã para confirmar, tudo bem?

— Tudo! Claro! Obrigada.

Como assim retornaremos amanhã para confirmar? Eu tinha de me virar, deixar tudo planejado sem dar certeza para os envolvidos? E os alunos, meu Deus? Vários já haviam viajado para fazer a prova. Pronto. Era o meu fim. Metade dos alunos não estava na cidade, e a outra metade já havia assistido à aula. Pergunte-me se dormi. Claro que não.

Permaneci na cama esperando dar o horário comercial. Antes de ligar para as pessoas, disse para Deus:

— Deus, ajude-me. Mas calma. Esse é o vocativo correto para chamar o Senhor? Sinto-me tão íntima que sempre chamei você assim. Ops! Usei o pronome de tratamento você. É que hoje eu estou muito desesperada. Queria fazer tudo certo. Depois me manda um sinal com o vocativo que o Senhor prefere? Deus, Meu Deus, Senhor Deus, Ser Supremo, Criador do Universo... Qual vocativo lhe agrada mais? Enfim, Deus, Meu Deus, Senhor Deus, Ser Supremo, Criador do Universo... Sei que já fui muito baladeira. Sei que dei trabalho para a vovó, que está aí com o Senhor. Sei também que o Senhor já quebrou muitos galhos meus. Sei que deixei o meu anjo da guarda acordado até de madrugada várias vezes. Mas dessa vez eu estou pedindo proteção para trabalhar na balada. Trabalhar! Me ajuda! Amém.

Peguei o celular e liguei para o dono da balada:

— De novo, Cíntia? Nós cedemos a balada para você porque é um projeto beneficente, educativo. Mas não dá para fazer isso sempre.

— Por favor!!!!! Eu organizo tudo, tudo.

— O.k. Você tem os contatos dos outros sócios, do gerente, do DJ?

— Tenho.

— Combinado. Converse com eles. Você já é de casa.

Eu nunca imaginei, nem no meu sonho mais distante, que a minha vida pregressa de baladas seria tão importante. Liguei, então, para todos eles e fechei tudo. Só faltava a editora confirmar.

Na quarta-feira, ligaram da emissora. Fizeram mais algumas perguntas e confirmaram a matéria. Ufa!

Ufa? Ufa nada! Eu havia me esquecido de falar com os alunos. Socorro! Conversei com eles. Sabe quantos podiam comparecer? Trinta. Trinta alunos. Fiquei apavorada. A equipe chegaria e desistiria de fazer a matéria. Trinta alunos não encheriam nem um quarto do espaço.

Conversei com Deus de novo:

— Olha, Deus, Meu Deus, Senhor Deus, Ser Supremo, Criador do Universo, tá tudo certo. Local, DJ, segurança, estrutura. Já marquei salão, comprei roupa. O pessoal da reportagem confirmou. O Senhor não vai me deixar na mão agora, vai?

Depois pensei, pensei... Até que fui iluminada pela luz divina: eu tinha não só a lista dos alunos matriculados para o ano seguinte, como a lista de espera também. Liguei para todos eles.

— Trata-se de uma aula muito importante para o Enem.

— Mas eu só vou fazer vestibular no ano que vem, professora.

— Por isso mesmo. Quanto mais cedo você começar, melhor. Você não acha que o seu concorrente já começou?

Aparentemente, eu havia convencido a maioria.

Enfim chegou o dia. Faltavam cinco minutos. Havia apenas quinze alunos lá fora. O segurança:

— Posso deixar subir, professora?

— Não. Só depois que a repórter chegar.

— Mas o pessoal da TV acabou de chegar.

— Mentira... E agora?

Recepcionei a equipe. Conversei com a jornalista:

— Esses jovens de hoje... Tão descompromissados com o horário, né?

— Acontece, professora.

Disparei a falar:

— Fico impressionada com a falta de responsabilidade deles. Eu não era assim. Está tudo muito mudado, né?

— Daqui a pouco eles chegam.

— Soube que está havendo uma passeata. Em frente ao Shopping Pátio Savassi. Que coisa, né? Passeata no meio da Savassi? Em frente ao shopping?

Antes que eu falasse mais bobagens, o gerente me interrompeu:

— Cíntia!

— Oi!

— Está lotado de alunos lá embaixo. Não vai mandar subir?

Obrigada, Deus, Meu Deus, Senhor Deus, Ser Supremo, Criador do Universo... Sorri para disfarçar o meu alívio.

— Ah, depende da jornalista. Eu ia justamente perguntar agora se ela quer filmar a entrada dos alunos.

Fui retocar a maquiagem. Agradeci novamente a Deus. Os alunos amaram a aula, a matéria ficou fantástica no jornal. No dia seguinte, ela foi transmitida nos noticiários locais e nacionais. Também fui parar na capa da versão eletrônica dessa emissora. Depois disso, ganhei a alcunha de "Professora da Balada". Achei justo. A fé não move montanhas? Dessa vez ela moveu a balada. Amém.

P.S.: Ainda aguardo um sinal divino sobre o vocativo que mais agrada a Deus. Mas, diante da ausência dessa iluminação, continuo chamando Deus por diversos vocativos.

FUTURO HOSPITAL

Faculdade de Letras. O professor ministra aula de semântica da língua portuguesa:

— Em "futuro hospital", futuro não é adjetivo.

A aluna, ferrenha defensora da norma culta da língua portuguesa, afirma:

— Não faz sentido!

— Faz. Se o hospital não existe, não pode haver adjetivo para aquilo que não existe.

— Mas o senhor está colocando a metafísica acima das normas gramaticais. Não faz o menor sentido! Se "futuro" não é adjetivo, é o quê?

— Para a norma culta, é adjetivo.

— E para o senhor?

— Estamos procurando uma classificação gramatical para esse tipo de caso.

A aluna, que já tinha pontos suficientes para aprovação, nunca mais voltou à aula daquele professor. Foi cuidar do promissor futuro, que, apesar de ainda inexistente, existiria um dia.

HAVIA OU HAVIAM?

Não duvido de que "haviam"

Por causa da catarata, o meu avô, Virgílio, ficou praticamente cego, e passou a enxergar apenas vultos, situação que não o impediu de andar armado. Isso mesmo! O meu avô era cego e andava armado. Não que ele quisesse matar alguém... Jamais! Ele apenas dava uns tiros para o alto quando ficava bravo. E, geralmente, quem deixava o meu avô bravo era a minha mãe. Acompanhe o caso.

Mamãe, já acostumada a apanhar dia sim e dia também, nunca se importou em infringir as regras criadas pelo vovô. Aliás, rebelde sem causa, ela adorava desafiar os limites paternos. Certa vez, aos 21 anos, acordou cedo e, teoricamente, foi trabalhar. Mas a espertinha foi, na verdade, para a Cidade Maravilhosa. Para ir à praia? Não... Para beber nos bares de Ipanema com uma amiga. Quando se pergunta a minha mãe sobre isso, ela responde:

— Praia? Detestava praia. Eu gostava mesmo era de barezinhos. Haviam muitos bares interessantes no Rio. La Fiorentina era o meu preferido.

"Haviam muitos bares." Sei... Suspeito de que o amor boêmio de mamãe pelo Rio de Janeiro aniquilava até mesmo a regra gramatical segundo a qual o verbo "haver", no sentido de existir, não vai para o plural. Ora, bolas! Ela estava cansada de saber dessa regra, mas, quando discorria sobre a história em questão, ela sempre flexionava o verbo "haver". Certamente, isso decorria de uma intenção enfática nada ortodoxa do ponto de vista gramatical. Mas o que é a norma culta da língua portuguesa diante das histórias da minha mãe? Continuemos, pois.

— Mas por que não foi a um barzinho em Belo Horizonte?

— Ah! O frio na barriga. Eu adorava um frio na barriga. Barezinhos e frio na barriga.

A essa altura você já percebeu como o meu avô sofreu nas mãos da minha mãe, o que não fazia dela uma vilã, porque vovô era um patriarca bem-intencionado. Mas, antes que eu me perca nas explicações sobre a relação deles, voltemos ao caso.

Mamãe passou o dia todo bebendo nos tais barezinhos do Rio de Janeiro. Ficava duas horas em um, enjoava, ia para outro, para outro, para outro. Ela pegaria o voo das seis da tarde a fim de dar uma desculpa minimamente convincente para o atraso: trânsito, hora extra, acidente. Qualquer coisa assim. Contudo, papo vai, papo vem... Mamãe pegou o último voo e chegou a Belo Horizonte à meia-noite. Enquanto isso, o vovô esbravejava. Quem penava era a minha avó, Orlandina:

— De que adiantou pagar colégios caros, Orlandina? De quê? Sua filha vive na rua, não tem compromisso com horário. É uma rebelde sem causa.

— Calma, Virgílio. Deve ter acontecido alguma coisa.

Quando mamãe se deu conta do horário, pensou em falar que estava em um velório. Mas a desculpa do velório fora dada na semana anterior. Teve, então, a ideia de pedir ajuda para a minha madrinha (agora o leitor terá certeza de que eu não poderia ser muito normal). Ligou para a casa dela:

— Marilene, preciso de você. Como é o nome daquele médico amigo seu que trabalha no hospital lá perto de casa?

— Miguel.

— Hoje ele está de plantão?

— Não sei. Já é madrugada, Rogéria. O que aconteceu?

— Nada. Preciso que você ligue para o hospital para saber se ele está lá.

Minha madrinha descobriu que ele estava no hospital... E mamãe foi lá munida da maior cara de pau do mundo.

— Doutor Miguel, preciso que você me salve.

— Salvar?

— O meu pai é muito bravo, sabe? Eu preciso que...

E foi explicando a situação para o médico. Pintou o pai como a própria encarnação do demônio. Miguel, tocado pelo discurso da minha mãe (e arrisco dizer que provavelmente tocado pela beleza dela também), atendeu ao estapafúrdio pedido daquela atrevida e doce menina. Veja o que aconteceu:

O telefone tocou na casa do vovô. Era a minha madrinha.

— Seu Virgílio, a Rogéria foi atropelada.

— Como???

— Calma. Está tudo bem. Ela só quebrou a perna. Foi atendida por um amigo meu e já está no táxi, a caminho de casa.

Desligaram.

— Atropelada... Duvido. Aí tem coisa, Orlandina. Aí tem coisa.

Mamãe chegou.

— Pai! Pai! Chame a mãe para me ajudar a subir as escadas.

Vovó desceu. Mamãe estava com a perna engessada. Ela convencera o médico a engessar a perna dela. Incrível!

Vovô perguntou:

— Está mesmo com a perna engessada, Orlandina?

— Está, Virgílio. Coitada... Como você pode pensar que a sua filha fingiria um atropelamento? Está doendo, minha filha?

— Um pouco, mãe.

— Então vá se deitar.

Mamãe passou um mês com o gesso. Hoje, quando pergunto a ela se valeu a pena, ela responde:

— Haviam muitos barezinhos, minha filha. Você nem imagina.

— Convenci-me de que “haviam”, mamãe. Não duvido de que “haviam”.

OS HOMENS QUE SÃO FIÉIS

— Anotem os dois exemplos no quadro:

1) Os homens, que são fiéis, vivem mais.

2) Os homens que são fiéis vivem mais.

— No primeiro exemplo, cria-se um paradoxo.

— Por quê?

— Porque se afirma que todo homem é fiel. Quer paradoxo maior? Eu, Cíntia Chagas, afirmo-lhe que não há paradoxo mais paradoxal.

— E no segundo exemplo?

— No segundo, com a ausência das vírgulas, apenas os homens que são fiéis vivem mais. Os infiéis vivem menos.

— Tudo isso por causa da ausência das vírgulas?

— Sim. E por causa da testosterona também.

— A aula é de português ou de biologia, fessora?

— De vida, minha filha. De vida.

SOBRE PLEONASMOS
A vida é uma só

ra a última noite de uma viagem que fiz para Miami. Eu estava no hotel com o meu então namorado, Pedro Henrique, também conhecido como PH. Depois do banho, comecei a passar creme no corpo até que...

— PH!

— Oi!

— Socorro! Olha isso!

— O que, meu anjo?

— No meu seio. Uma bolinha.

— Tem um caroço mesmo aí. Melhor você ver isso.

— E você fala assim? Com essa naturalidade toda?

— Cíntia, é só uma bolinha... Não adianta você ficar nervosa. Já te falei que a vida é uma só. Desse jeito você morre aos quarenta. Eita, mulher estressada...

— Estressada? Na minha família todo mundo morre de câncer, sabia? Ah, deixa pra lá. Vá dormir.

E foi. Em cinco minutos, ele já estava roncando.

Eu, no entanto, comecei o meu devaneio:

E agora? O que será de mim? Como vou trabalhar? Esse negócio de quimioterapia deixa a pessoa muito fraca. Vou ter de parar de trabalhar. E o cabelo? Vou perder o cabelo todo. Tanta hidratação pra nada... E se eu estiver em estágio terminal? Prefiro nem tentar quimioterapia. E se eu não fizer? Acho que pode ser pior. Será que foi o excesso de refrigerante na infância? Dizem que refrigerante dá câncer. Ou o excesso de trabalho? Estresse também dá câncer. PH sempre diz que sou nervosa demais. Vou postar que estou com câncer? Criar uma *hashtag* e contar a minha história? Não... Exposição demais. As pessoas dirão: pobre Cíntia, tão trabalhadora, uma vida inteira pela frente.

Adormeci. Acordei com o bom humor irritante do PH:

— Bom dia, minha linda! Bora pro aeroporto porque a vida é uma só.

Eu não conseguia falar. Fiquei apalpando aquela bolinha. Tive até a sensação de que ela havia aumentado nas últimas horas. Estava desesperada. Tão desesperada que fiquei muda. Entramos no avião. Já havia tomado cinco gotas de calmante, mas continuava nervosa. Pedi uma taça de vinho. Pedi outra. O avião decolou. Comecei a chorar. PH tentava me tranquilizar. A aeromoça perguntou se eu precisava de alguma coisa:

— De vinho. Obrigada.

— Você está bebendo demais, Cíntia.

Apelei:

— A vida não é uma só, PH? A sua eu não sei, mas a minha com certeza. E acabará em pouco tempo. Então me deixa beber porque o meu fim está próximo. Aliás, eu nunca te falei isso, mas o correto é "a vida é uma", tá? Sem o "só". Não precisa falar o "só". "A vida é uma só" é pleonasmo!

— *Ple* o quê?

— Pleonasmo, PH. Subir pra cima, descer pra baixo, entrar pra dentro. Repetição desnecessária. Nunca ouviu falar? Aff! Não é possível.

— Meu anjo, peça a Deus para te acalmar que eu tenho certeza absoluta que você irá melhorar logo.

— Certeza absoluta, PH? Toda certeza é absoluta. Outro pleonasmo. Só falta agora você falar que a calma é o pilar de sustentação de uma vida equilibrada.

— E não é?

— Todo pilar sustenta, PH. Aff, esquece. Você é bom é com números e com dinheiro mesmo.

Tomei mais uma taça. Emudeci novamente. Chorei. Voltei a devanear:

Quem irá ao meu enterro? Aliás, leitor, você já parou para pensar nas pessoas que estarão presentes no seu enterro? É uma reflexão interessante. Sorte que mandei polir a lápide da minha família no mês passado. Foi um presságio... Minha mãe não vai dar conta da notícia. Como ela vai viver sem mim? Por que ela não se casou de novo? Meu Deus, mamãe é tão frágil... E o Fabrício, meu amor de infância? Vou morrer sem ver o Fabrício novamente? Será que ele morreu também? A gente pode se rever no céu. Mas será que vou pro céu? Minha avó com certeza está no céu. Meu Deus, tenho de ir pro céu. Quero ficar com a vovó.

Adormeci. Acordei em São Paulo, na conexão. Parecia que um trator havia passado em cima de mim: ressaca, choro e a certeza de que a minha vida, que era uma, estava chegando ao fim. Resolvi ligar para o doutor Amândio, oncologista da família e pai de um ex-aluno meu. Ele me conhecia bem e compreenderia a minha situação:

— Doutor Amândio, tudo bem?

— Oi, Cíntia. Tudo! E você?

Voltei a chorar.

— Queria falar que está tudo bem, mas parece que a minha hora chegou, doutor Amândio.

— Como? Não entendi.

— Um caroço, um caroço enorme no seio esquerdo, na parte de baixo. Pelo tamanho, com certeza é maligno. Estou desesperada. Preciso que o senhor me atenda amanhã, segunda-feira.

— Cíntia, fique calma. Essas coisas não são assim. Primeiro você deve ir a um mastologista e, se for o caso, a um oncologista. Daí eu atenderei você.

— Pra quê? Vamos queimar etapas, doutor Amândio. Nós dois sabemos que acabarei no seu consultório. O meu fim está próximo. Sinto isso.

— Assim como você sentiu que o fim da sua mãe estava próximo, né? Você trouxe a Rogéria aqui com a certeza de que havia tumores na barriga dela, mas eram gases. Quase deixou a sua mãe em pânico.

— Mas a barriga dela estava muito dura, doutor. Parecia câncer.

— Você não tem jeito mesmo, né? Vou chegar antes pra atender você. Esteja lá às sete e meia.

— Obrigada, doutor.

No dia seguinte, lá estava eu no consultório do doutor Amândio. Ele disse que aparentemente eu não tinha nada, mas me encaminhou para um mastologista. Implorei por uma mamografia ao mastologista. Fiz os exames e convivi com uma enxaqueca terrível até o dia do resultado.

Na data de buscá-lo, eu estava mais do que apavorada. Durante as quatro horas de aula que ministrei, tive náusea, dor de cabeça, palpitação, sudorese. Não sei como consegui dar aula. No final, meu então aluno e atual fiel amigo, Vergílio, perguntou-me:

— O que você tem, Cíntia?

— Vou morrer, Vergílio. E preciso buscar o exame que comprova isso, porque ninguém acredita em mim.

— Calma. Você não vai morrer. Estou aqui com você. Vamos buscar esse exame. Onde é?

— Aqui perto.

Fomos. Abri o envelope e li:

Sugere-se controle de radioterapia.

Desmaiei. Caí dura no chão. Quando abri os olhos, o Vergílio estava me abanando. Um funcionário trouxe água para mim.

— Ligue para a minha mãe. Quanto antes ela souber, melhor.

— Cíntia, o seu exame deu negativo.

— Você não leu? Sugere-se radioterapia.

— Não, Cíntia. Leia: *A critério clínico, sugere-se controle radiológico.* O medo afetou o seu cérebro, professora. O exame diz pra você fazer controle radiológico, tipo exame de rotina, entendeu? Até porque o resultado do exame não vem acompanhado do tratamento adequado, né?

— Então eu não tenho nada?

— Não.

Renasci. A partir daquele momento, as palavras do sábio PH deixaram de ser pleonásticas e fizeram muito sentido. A vida era mesmo uma só.

PRESSUPOSTOS E SUBENTENDIDOS

Com os olhos avermelhados de tanto chorar, Cíntia Chagas ministrava a aula.

— Em "Marcos traiu novamente", qual é o pressuposto?

— O que é pressuposto mesmo?

— Informação implícita, mas inegável.

— Então o pressuposto é o fato de que ele já havia traído.

— Muito bem. Como você sabe?

— Por causa da palavra "novamente". Se ele traiu novamente, é porque já havia traído.

— E na frase "a professora tem dedo podre", qual o subentendido?

— O que é isso?

— Informação implícita e negável. Pode ser verdadeira ou não.

— Que ela não pensa antes de se envolver? Que ela é passional?

— Talvez...

— Professora, os subentendidos nós não sabemos, mas o sujeito está explícito, né? É você.

Voltou a chorar.

SOBRE AMBIGUIDADES

O cachorro do seu irmão

Sou extremamente alérgica a ácaros, aqueles bichinhos terríveis que parasitam animais domésticos. Por isso, durante a infância, não pude ter cachorrinhos nem gatinhos. Uma lástima. Contudo, durante a fase adulta, cismei que deveria ter um cachorro. Como eu morreria sem essa experiência? Eis a história.

Eu morava sozinha havia quase dez anos, o que nunca evocou em mim sentimentos de solidão. Pelo contrário: eu amava morar sozinha. No entanto, após terminar um relacionamento conturbado (conturbadíssimo, aliás), passei a experimentar a tal da solidão. Eu voltava do trabalho e sentia falta de algo, mas não sabia de quê.

Um dia, não sei onde, li a seguinte frase: "Quanto mais conheço os homens, mais gosto dos cachorros". Daí passei a acreditar na ideia de que eu precisava ter um cachorro, o que me parecia bem mais fácil do que ter um namorado. Chamei a minha amiga Manuela, que amava cachorros, pelo Whats:

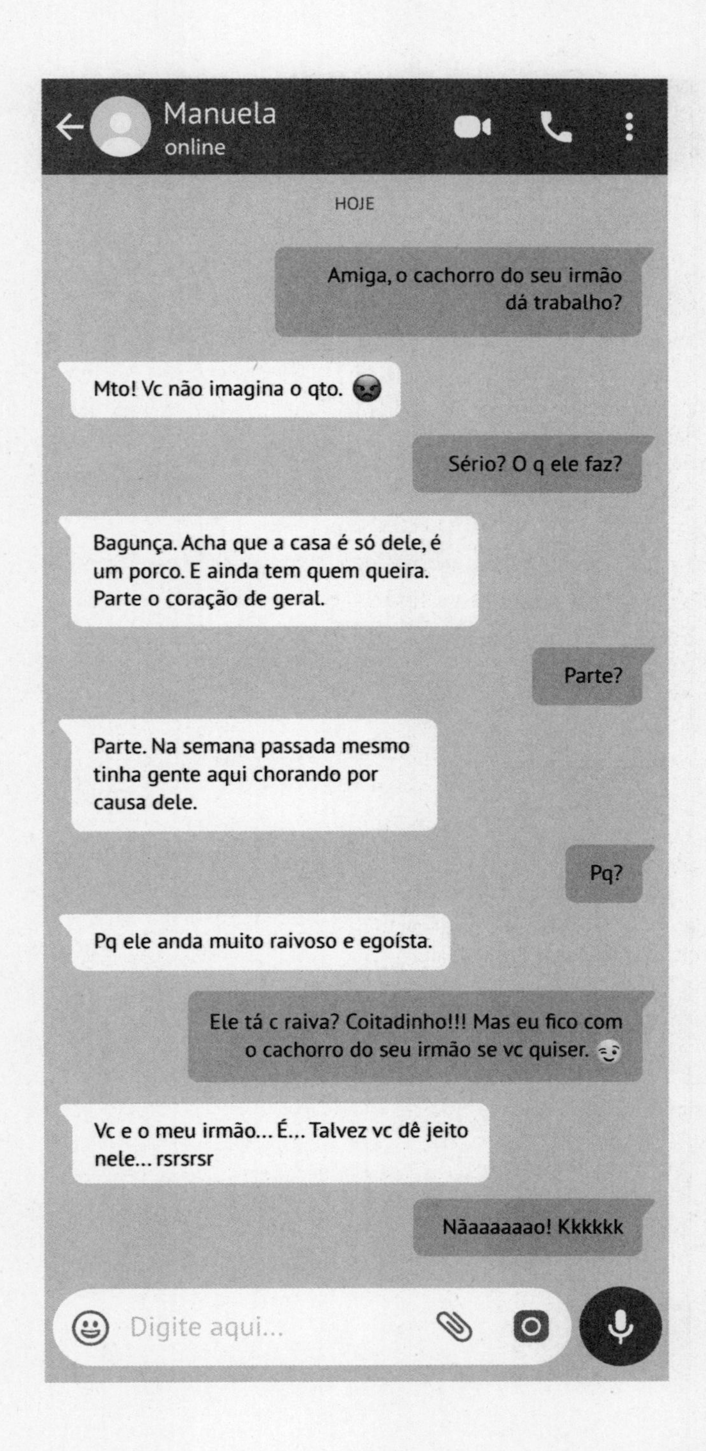
Manuela
online
HOJE
Amiga, o cachorro do seu irmão dá trabalho?
Mto! Vc não imagina o qto.
Sério? O q ele faz?
Bagunça. Acha que a casa é só dele, é um porco. E ainda tem quem queira. Parte o coração de geral.
Parte?
Parte. Na semana passada mesmo tinha gente aqui chorando por causa dele.
Pq?
Pq ele anda muito raivoso e egoísta.
Ele tá c raiva? Coitadinho!!! Mas eu fico com o cachorro do seu irmão se vc quiser.
Vc e o meu irmão... É... Talvez vc dê jeito nele... rsrsrsr
Nãaaaaaao! Kkkkkk
Digite aqui...

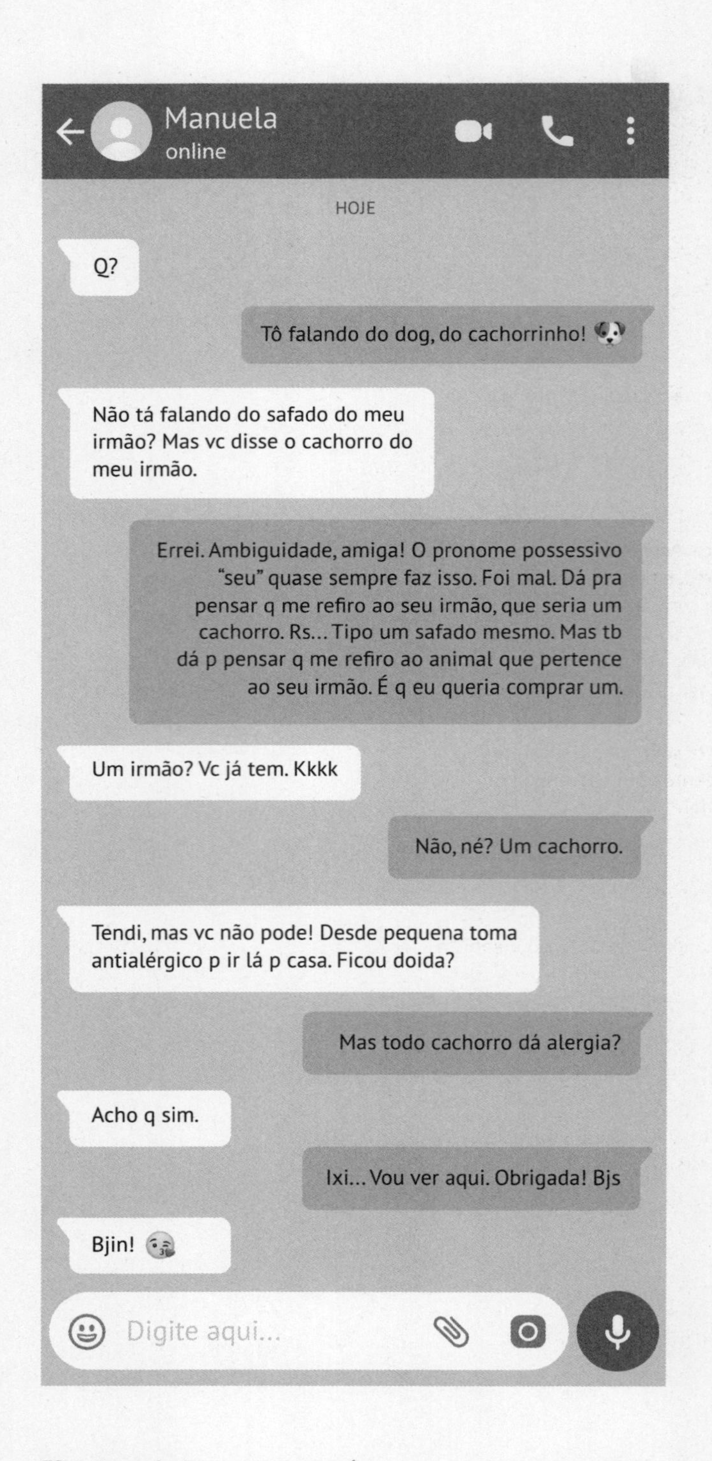
Manuela
online
HOJE
Q?
Tô falando do dog, do cachorrinho!
Não tá falando do safado do meu irmão? Mas vc disse o cachorro do meu irmão.
Errei. Ambiguidade, amiga! O pronome possessivo "seu" quase sempre faz isso. Foi mal. Dá pra pensar q me refiro ao seu irmão, que seria um cachorro. Rs... Tipo um safado mesmo. Mas tb dá p pensar q me refiro ao animal que pertence ao seu irmão. É q eu queria comprar um.
Um irmão? Vc já tem. Kkkk
Não, né? Um cachorro.
Tendi, mas vc não pode! Desde pequena toma antialérgico p ir lá p casa. Ficou doida?
Mas todo cachorro dá alergia?
Acho q sim.
Ixi... Vou ver aqui. Obrigada! Bjs
Bjin!
Digite aqui...

Liguei para um veterinário muito amigo da mamãe.

— Luciano, todos os cachorros dão alergia?

— Os de pelo longo costumam dar menos, Cíntia. Compre um Shih Tzu para você. Se der banho nele sempre, você não terá alergia. Quem mora sozinho precisa ter um cachorrinho em casa. Animais de estimação trazem muita alegria.

— Certo. Banho. Shih Tzu. Alegria. Obrigada.

Com essas palavras na cabeça, saí para comprar o bichinho. Apaixonei-me. Ele tinha três meses. Senti-me poderosíssima por poder escolher o nome dele sozinha: Supino Henrique. Sim! Supino Henrique! Supino porque eu adorava fazer supino na academia; Henrique porque eu achava Henrique um nome lindo e queria humanizar o cão.

Fiquei realmente alegre com a presença do Supino Henrique na minha casa. Eu conversava com ele o tempo todo. Estava enlouquecendo? Mas a situação piorou mesmo no primeiro banho que dei nele. Comecei a dar o banho com água morna. Daí ele começou a tremer, a gemer. Fiquei confusa. Será que a água estava fria demais? Deixei a água esquentar. Ele continuou tremendo. Era de medo? Era de frio? Ele disparou a gemer. E eu disparei a chorar. Então sequei os pelos dele com o secador, enrolei Supino em uma coberta e liguei para a mamãe:

— O quê? Do que você está falando?

— Não sou capaz de dar banho em um cachorro. Como darei banho em um bebê? Algumas mulheres nasceram para a maternidade. Outras não. Não consigo, mãe. Desculpe-me por decepcionar você. Preciso desligar.

Desliguei o telefone com a certeza de que eu era o ser mais incompetente do mundo no quesito maternidade. Sim, leitor. Eu estava usando o cão para testar a minha vocação maternal. Uma tragédia.

Alguns minutos depois, surgiram erupções no meu pescoço e nos meus braços. Meu nariz começou a coçar, tive crises de espirros. Lacrimejava tanto que não enxergava meio metro à minha frente. Liguei para a Manuela.

— Amiga, preciso ir para o hospital. Estou no meio de um ataque alérgico agudo.

Em dez minutos, a Manu chegou.

— Nossa! Você está um horror.

— Obrigada, amiga.

Levou-me para o hospital. Ela deve ter falado "eu te avisei" umas dez vezes.

Fui medicada e ainda tive de ouvir o médico dizer:

— Diga ao veterinário do seu cachorro que ele entende de bichos. De seres humanos entendemos nós, os médicos. E você, mocinha, trate de manter distância de cães. O seu nível de alergia é altíssimo.

— Sim, senhor.

Voltei para casa. A Manu recolheu os pertences do Supino Henrique.

Liguei para a mamãe novamente:

— Você precisa ficar com o Supino Henrique, mãe.

— Ah, não. Eu me apego muito a cachorro, Cíntia. De jeito nenhum.

— Só por um tempo... Como vou abandoná-lo à própria sorte? Por outro lado, se ele ficar aqui, eu vou morrer. Você quer me matar?

Naquela mesma noite, deixamos o Supino na casa da mamãe, onde ele vive até hoje. Ela desenvolveu um amor maternal por ele. Para visitá-los, tomo antialérgico, o que apenas diminui os meus ataques alérgicos. Passo muito mal. Talvez seria melhor se eu tivesse ficado com o cachorro do irmão da Manu... Digo, com o irmão da Manu, o qual era um cachorro. Desse tipo de cachorro eu não tinha alergia.

DEUS, SUBSTANTIVO CONCRETO

— Deus é substantivo concreto.

— Não é não, professora. Concreto representa os seres em que posso pegar, e eu não posso pegar em Deus.

— Quem ensinou isso pra você, gente? Deus é concreto sim, independentemente, inclusive, da sua crença nele ou não.

— Você fala isso porque é católica, Cíntia.

— Não. Eu falo isso porque é a verdade. Deus, duende, fada. Até os Smurfs. Tudo isso é concreto, porque são seres que existem, mesmo que existam na imaginação apenas. Não tem nada a ver com essa ideia de pegar ou não.

— E o que seria um substantivo abstrato, então?

— É o substantivo que designa sentimento, qualidade, ação ou estado, como ódio, beleza, vingança e morte.

— Tá vendo? Não dá pra pegar no ódio, na beleza, na vingança e na morte.

— Então pegue em Deus. Depois você me conte como foi.

NO VOLANTE OU AO VOLANTE?

Perigo constante?

Na minha família, imperava uma regra sobre carros com a qual eu nunca concordei. Descobri essa norma quando uma prima mais velha teve de comprar o primeiro carro do próprio pai.

— Mentira que você comprou o carro do seu pai.

— Ele fez pela metade do preço e dividiu em várias parcelas. Disse que isso é bom para eu aprender a dar valor ao dinheiro.

Entendi a estratégia do meu tio. Entendi, também, que ter um carro seria mais difícil para mim, já que eu não tinha pai, minha mãe era bem descontrolada com dinheiro, e a minha avó provavelmente acataria essa regra quando chegasse a minha vez.

Conforme previsto, aos dezoito anos, eu não ganhei carro. Mas ganhei conta em banco, cartão de crédito, mesada (muito boa, inclusive). Achei aquilo contraditório. Por isso questionei a minha avó:

— Posso ter mesada e ter cartão de crédito, mas não posso ter carro? Eu quero um carro, vó...

— Isso você vai ter que esperar. Já imaginou a reação dos seus tios se eu te der um carro? Eles já dizem que eu mimei você demais. E outra coisa: pelo amor de Deus, não conte nem pra sua mãe quanto eu te dou de mesada.

— Bando de ciumentos. Isso que eles são. Morrem de ciúme da gente.

— Pelo sim, pelo não, vamos esperar. A sua tia Teresa já ligou me falando para não dar carro nenhum para você. Já imaginou a confusão?

— Toda a família vai achar ruim?

— Seu tio Virgílio certamente não. Ele não liga pra isso.

Tive ódio da minha tia naquele momento. Negar um carro a uma adolescente? Isso era, no mínimo, cruel.

Mas, como nunca fui de perder o meu tempo com pensamentos negativos, tratei de criar uma estratégia mental e comportamental para ganhar o tal carro. Fui ao chaveiro.

— Seu Agnaldo, tudo bem? Preciso da chave de um Corsa. Você tem?

— Pra que você quer a chave de um carro, menina?

— É que estou trabalhando com teatro. E há uma cena em que eu apareço com a chave de um carro.

— Ah, tá. Tenho uma aqui, sim.

Comprei a chave. Voltei pra casa. Concentrei-me na escolha do carro. Optei por um Corsa verde. Comecei a mentalizar: *Corsa verde, Corsa verde, Corsa verde, obrigada, Deus, pelo meu Corsa verde, Corsa verde, Corsa verde, Corsa verde, obrigada, Deus, pelo meu Corsa verde*. E assim permaneci por algumas horas. Depois, coloquei a chave do meu futuro Corsa no chaveiro. Fiquei tranquila. O meu carro chegaria a qualquer momento.

No dia seguinte, saí com umas amigas. Coloquei a chave em cima da mesa.

— Olha! Ganhou carro e não contou pra gente?

— Ganhei no plano espiritual, Lu. Por isso ainda não chegou.

Eu disse isso com toda a seriedade do mundo. Mas elas choraram de rir.

— Por que você não pede pra ganhar na loteria, então? Mais fácil.

E voltaram a rir.

— Vocês podem rir, mas quando o meu Corsa chegar, vocês verão que eu sei o que estou fazendo. Tudo ocorre antes no plano espiritual. Mas não vou perder o meu tempo explicando isso pra vocês. Vamos mudar de assunto.

Nessa época, eu já levava muito a sério o poder do pensamento, porque fui criada pelo ser humano mais espiritualizado que conheci, a minha avó. Ela absorvia o que considerava bom em cada religião. E eu absorvia o conhecimento que podia dela. Passávamos horas falando do poder do pensamento, da importância da caridade, da necessidade de agradecer a todas as coisas do céu e da terra. Líamos os mesmos livros e depois discutíamos a respeito deles. Era muito bom... Mas voltemos à história.

Eu agradecia, todos os dias, pela vinda do meu carro. De dentro do ônibus, procurava os Corsas verdes e dava um largo sorriso quando encontrava um. Imaginava-me dirigindo o carro. Um dia, em um shopping, fui até o estacionamento à procura de um Corsa verde. Quando encontrei, tirei a chave do bolso e andei em direção ao carro, como se ele fosse meu. Parei, encostei no carro e disse para uma moça que passava:

— Puxa vida! Esqueci as compras na loja! Pra que fui parar esse carro tão longe?

— Acontece comigo sempre.

— Que bom que não sou a única... Mas ainda bem que temos carro, né? Tchau!

Maluca, não é mesmo? Mas a maluca em questão havia esquecido um detalhe: ela não tinha carteira de habilitação. Como eu ganharia um carro do universo sem possuir carteira? Bingo! Estava demorando porque eu não havia feito a minha parte: tirar a carteira.

Entrei na aula. Passei rapidamente no exame de legislação, mas no exame de direção... Jesus! Eu era muito ruim de roda e, para piorar, eu não suportava os erros de português cometidos pelo instrutor de autoescola:

— Cíntia, você está no volante. Precisa se concentrar.

— Eu estou ao volante, não no volante. Por acaso eu estou em cima do volante? Não, né? Então diga "ao volante".

— Tá vendo? A sua cabeça voa o tempo todo. Se pensasse menos em português, dirigiria melhor.

— Se você pensasse mais em português, eu ficaria menos irritada e, com isso, dirigiria melhor.

— Você tá jogando a culpa em mim?

— Estou. Você me deixa mais tensa ainda.

— Pare com essa bobagem e fique atenta. Mulher no volante, perigo constante.

— Mulher ao volanteeee! E homem do lado, perigo dobrado! Aff!

Então percebi que seria necessário apelar mais ainda para Deus:

Senhor Deus, já é a terceira vez que tento passar. Sei que o meu carro já está à minha espera. Mas preciso da ajuda do Senhor, porque sou meio desconcentrada. Vamos combinar o seguinte: eu passo agora e treino no meu carro. Prometo treinar muito. Amém.

Um mês depois, fui aprovada. Precisava, pois, esperar pelo Corsa. E esperei. Com toda a tranquilidade do mundo.

Após um tempo, o meu tio Virgílio, aquele que não se importava com a tal regra automobilística inventada sei lá por quem, infelizmente faleceu. E, como ele não deixou filhos, o dinheiro da herança dele foi destinado à vovó, que me disse:

— Acho que o seu carro vai chegar.

— Como assim?

— Seu tio deixou uma boa herança para mim. Sempre considerei justo você ganhar um carro, já que trabalha tanto. Resolvi, então, comprar um para você. E azar se a família reclamar. Você merece esse mundo e a metade do outro.

— Jura, vó?

— Juro. Mas não conte pra ninguém por enquanto. Você vai ser a única na família a ganhar carro. Isso vai gerar ciúme.

— Tá bom. É um Corsa. Já posso escolher?

— Pode.

Saí pulando de alegria. E o que você acha que vi na primeira loja em que entrei? Exatamente. Um Corsa verde. Escrevi *vendido* no para-brisa do carro. Sentei-me no chão, ao lado do Corsa, e chorei muito. O vendedor, impressionado com a cena a que assistia, disse:

— Vejo muitas pessoas emocionadas com a compra de um carro, mas nunca vi tanto choro. Era o seu maior sonho?

— Não, senhor.

— Então por que você está chorando tanto?

— Porque Deus, por um caminho muito estranho, provou que confia em mim.

Hoje, contando esse episódio da minha vida para você, percebo que a minha emoção, naquele momento, não tinha a ver com o carro em si. Pelo contrário... Ela estava intimamente atrelada à concretização dos ensinamentos espirituais que a vovó me transmitia. Era como se Deus dissesse para mim: "Eu ouvi você todos os dias, eu estou com você".

Se passei a dirigir bem? Dizem que, quando estou ao volante, o perigo é realmente constante, porque faço tudo, menos dirigir. Que exagero.

DORMIR

— O verbo "dormir" exprime ação, Cíntia.

— Claro que não, Júnior.

— Claro que sim. Eu faço a ação de ir dormir. É uma ação.

— Não. É um fenômeno. Dormir é um grande fenômeno orgânico, inclusive.

—É um fenômeno pra você, Cíntia, que não consegue dormir.

— Ninguém faz a ação de dormir. Você diz que vai dormir e dorme na hora? Não. Você faz a ação de se preparar para dormir. Dormir é fe-nô-me-no!

— Eu ando tão cansado que pra mim é ação, sim.

— Eu ando tão agitada que pra mim é fenômeno, sim.

— Se cair na prova do concurso, devo colocar que é fenômeno, então?

— Sim.

— E se eu tomar remédio pra dormir? Não é ação?

— É a ação de tomar remédio. Não de dormir.

— Não entendi.

— Acho que você precisa de um fenômeno, Júnior.

— De qual fenômeno?

— Do fenômeno dormir.

SOBRE EUFEMISMOS

Suave como uma brisa...

— Sinto que agora vai, doutor Bartolomeu! Estou saindo com um homem lindo, bem-sucedido, ligado ao esporte. Triatleta, sabia? Uma coisa! Moreno, alto, com uma pele dourada que o senhor não faz ideia. É tão raro eu me relacionar com homem bonito... Mas, enfim, estou bem empolgada. Nossa! E ele ainda é bom pai. Os filhos dele são fofos.

Doutor Bartolomeu era um dos psiquiatras mais renomados da cidade, desses que dão jeito em quem não tem jeito. Ele já havia salvado um amigo meu do alcoolismo e outra amiga minha do consumismo. No meu caso, a esperança era que ele me salvasse do "dedo-podrismo".

— Quanto tempo de casamento e de separação, Cíntia?

— Ele ficou casado por mais de vinte anos. Faz três meses que ele assinou os papéis do divórcio.

— Assinou e veio correndo atrás de você?

— Acho que sim...

— E você realmente acha que um homem nessa situação está preparado para entrar em outra relação?

— Não sei... Está?

— Claro que não! Os homens demoram, em média, um ano e meio para se refazerem de uma separação. E, nesse período, assim como os nossos ancestrais, eles tendem a procurar várias fêmeas para copular. Dificilmente param com uma. Ainda mais com uma fêmea alfa como você. No geral, os que param são os deprimidos e os carentes. Fazem-no por desespero.

— E se eu quiser tentar?

— Ele não vai aguentar.

— Por quê?

— Porque você, apesar de ser professora, é uma analfabeta no quesito emocional. Assim como os nossos ancestrais, os homens procuram as fêmeas que podem dar segurança a eles. E você não passa nenhuma.

— Por quê???

— Você é crítica, debochada, irônica. O homem não aceita críticas tão diretas. Na mentalidade masculina, a fêmea que o critica não o quer. Ele se pergunta: "Se eu não sou bom para ela, por que ela está comigo?".

— Então não tenho jeito?

— Teria, se usasse o futuro do pretérito com mais frequência.

— Como assim?

— Em vez de criticar, pergunte se ele não GOSTARIA de mudar de ideia.

— Então, em vez de dizer que ele agiu errado eu devo dizer que ele agiria melhor se fizesse outra coisa. É isso?

— Exatamente.

— Mas isso é eufemismo. Simples suavização da linguagem.

— Sim. Você deve usar os eufemismos nos seus relacionamentos amorosos. Seja suave como uma brisa...

— Em vez de dizer que o cara está sendo egoísta, digo que ele pensa pouco no outro? Em vez de dizer que ele está sendo um babaca, digo que a atitude dele demonstra uma mentalidade limítrofe? E, se ele for infiel, digo que ele não cumpriu o combinado monogâmico? É isso?

— Isso mesmo! É por aí.

— Mas aí eu não serei eu. Perderei a idiossincrasia que faz de mim um ser diferente.

— Assim como os nossos ancestrais, o homem escolhe a fêmea que ele crê ser capaz de cuidar da família, da prole. E, obviamente, se você for você, ele perceberá a sua natureza impulsiva e não sentirá segurança.

— Então tudo se baseia em dar segurança para o homem?

— Basicamente. Nós, homens, somos seres tolos. Se vocês nos elogiam, se são carinhosas, se não nos criticam, sentimo-nos seguros.

— Então as falsas têm maior chance de concretizar um casamento?

— Falsas não, controladas. Olha o eufemismo!

— E se eu me recusar a ser assim?

— Haverá uma grande chance de os homens verem você como um passatempo. Você acaba perdendo o seu valor como fêmea, já que, assim como os nossos ancestrais...

— Chega. Cansei. Sabe o que o senhor deveria fazer?

— O quê?

— Assim como os nossos ancestrais, o senhor deveria parar de creditar (ou seja, pagar) primata (ou seja, mico), pois nem que a fêmea bovina (ou seja, vaca) expire fortes contrações laringo-bucais (ou seja, tussa) eu pisarei aqui novamente. Chega desse colóquio soporífero (ou seja, dessa conversa mole) pra gado bovino (ou seja, boi) dormir.

— O que é isso? Eufemismo?

— É um eufemismo de vá à merda. Suave como uma brisa...

FOTINHA

A BLOGUEIRA

— Só mais uma fotinha... A última. Prometo.

E assim a blogueira testa a paciência do namorado, cujo intuito era apenas o de descansar naquele feriado.

— Nessa luz. Não. Ali é melhor. Tira do *look* todo. Vai tirando. Isso. Aqui tá bom. Vou mudando de posição. Tá bom assim?

Pobre namorado...

Pobre namorado? Pobre gramática.

O correto é fotinho, senhorita blogueira. Fo-ti-nho.

FOTINHO

SOBRE O USO DOS PORQUÊS

Você sabe por quê...

á muitos anos, aconteceu um fato bastante singular comigo em um cursinho pré-vestibular onde eu trabalhava. No primeiro dia de aula, conheci Aline, uma aluna, a princípio, bastante interessada:

— Oi, professora! Meu nome é Aline. Amo português. Estou bem ansiosa para ver as suas aulas.

— Que bom, Aline! Vai prestar vestibular para qual curso?

— Não vou prestar vestibular.

— Está aqui para aprimorar os seus conhecimentos gerais?

— Não. Eu estou tentando mesmo é concurso público.

— Então não faz sentido. As provas e os conteúdos são bastante diferentes.

— Sim. Eu sei.

— Então?

— Ah! Eu moro aqui ao lado. Já tenho trinta anos, sou casada e quero engravidar.

Oi?

— Realmente não estou entendendo nada, Aline.

— Quem sabe eu não me animo a voltar para a faculdade, professora?

Nitidamente, a ansiosa aluna estava mais perdida do que cego em tiroteio, como se diz.

Comecei a aula, cujo conteúdo era o uso dos porquês. Ela, munida de gramáticas e de um laptop, rapidamente o sacou e redarguiu-me:

— Aqui no Google está dizendo que o porquê separado é o porquê de pergunta e que o porquê junto é o porquê de resposta.

— Tenha aulas com o professor Google então e sinta-se à vontade para não assistir às minhas.

Quanta petulância!

Voltei à aula e escrevi um esquema sobre o uso dos porquês no quadro:

— Professora, a gramática que tenho aqui diz que só existem

PORQUE	Ideia de explicação ou de causa.	*Voltei porque gosto de você.*
PORQUÊ	Substantivado e substituível pela palavra "motivo".	*O porquê da minha felicidade? Não me pergunte sobre os meus porquês.*
POR QUÊ	Substituível pela expressão "por que razão" e vem no final da frase.	*Por quê? Ela sabe por quê.*
POR QUE	Substituível pela expressão "por que razão".	*Ela mostrou por que estava feliz.*
POR QUE	Substituível por "pelo qual" e variações.	*Os motivos por que luto são importantes.*

quatro tipos de porquês.

Que chatice, gente!

— Certamente o autor em questão não está contando com o último porquê, que funciona como pronome relativo.

— Nesta outra gramática que tenho aqui, está escrito que o porquê junto e com acento vem sempre com o artigo "o" na frente, mas você não disse isso.

— Não disse porque não é verdade. Na música de Vinicius de Moraes e de Odete Lara, "Samba em prelúdio", há um exemplo. Vou passar no quadro:

Eu sem você
Não tenho porquê
Porque sem você
Não sei nem chorar...

— Em “Não tenho porquê”, ocorre o porquê com função de substantivo, já que ele substitui a palavra “motivo”, que é um substantivo. Eu sem você não tenho motivo... Geralmente o artigo “o” vem anteposto a esse porquê, mas há exceções, como nesse caso.

— Mas na gramática...

— Aline, já que você tem tanto interesse assim por gramática, diga-me: na frase “Desrespeitou tanto a professora que foi retirada de sala”, qual é o sujeito?

— Não sei...

— Sujeito existente, simples e determinado demais para o meu gosto: você, que agora vai se transformar em uma oração sem sujeito e sair da minha frente com esse laptop desnecessário, essas gramáticas duvidosas e essa falta de compostura.

Por que eu expulsei a aluna da sala de aula? Você sabe por quê...

CANSAÇO

— Estou meia cansada hoje. Não vou.

— Da cintura pra cima ou da cintura pra baixo?

— Oi?

— Do lado esquerdo ou do lado direito?

— Como?

— Decida em qual das metades o cansaço pesa em você.

— No corpo todo, ué.

— Ufa! Achei que fosse da cintura pra baixo.

— Quê?

— Meio cansada, querida. Meio cansada.

BASTANTE OU BASTANTES

Bastantes momentos de paz?

amãe já havia me alertado sobre a minha incompatibilidade com Álvaro:

— Vocês não combinam em absolutamente nada, minha filha! Esse rapaz gosta de cerveja e de churrasco na casa dos amigos. Você, de vinho e de restaurante.

— Isso é verdade...

— E outra: pelo que percebi, é homem que adora turma: tem a turma do jiu-jítsu, a do futebol, a do colégio, a do trabalho, a dos primos...

— E daí? Sou supersociável!

— É, sim. Deus tá vendo. Deixa de ser cara de pau, minha filha! Você é do tipo de mulher que, se o homem pudesse vir órfão, você preferiria.

— Credo, mãe! Adoro a mãe dele.

— Vamos ver por quanto tempo. Ele vai tirar a sua paz, minha filha. Ouça o que eu estou falando. Daqui a pouco vai atrapalhar até o seu trabalho.

Realmente ele tirou a minha paz: despedidas de solteiro, festas de confraternização, churrascos, aniversários, casamentos... Eu, caseira e controladora, não suportava ir a tantos eventos, tampouco queria que ele fosse. Resultado: um relacionamento difícil, cujo término superou qualquer novela mexicana. Acompanhe.

Cansada dessa relação, resolvi viajar sozinha para dar um tempo. Liguei para uma prima, dona de uma agência de turismo:

— Alessandra, tudo bem? As minhas férias começam na quinta-feira. Preciso que você me mande para um local, no Brasil, bom para ir sozinha.

— Ixi... Não deu certo com ele não, né?

— Não. Escolha um local bonito, tranquilo, bom para refletir sobre a vida, por favor. Preciso de paz.

— Deixa comigo, prima.

Liguei para o Álvaro:

— Álvaro, chega de fingir que estamos bem. Não suporto mais esse estilo de vida seu. Vou ficar uns três ou quatro dias fora. Pense se você quer continuar comigo. Também vou pensar. Quando eu voltar, conversaremos.

— Tudo bem, Cíntia.

Minha prima ligou:

— Vou mandar você para Gramado, no Sul. Lá tem um lago lindo, você terá bastante momentos de paz.

— Bastantes, Alessandra.

— Jura? Bastantes? Que feio!

— Quando "bastantes" é sinônimo de "muitos", também vai para o plural.

— Olha... Não sabia. Você terá bastantes momentos de paz lá. Tá certo?

— Espero que sim. Preciso de bastantes momentos de paz. Você nem imagina.

— Posso emitir as passagens, então?

— Pode.

Ao desembarcar do avião e entrar na van que me aguardava, já senti a paz descrita pela minha prima: só havia idosos no veículo. Parecia que eu estava naquele filme *Cocoon*, dos velhinhos que viviam em um asilo na Flórida. Que paz! Era disso que eu precisava. Quando cheguei ao hotel, senti mais paz ainda, porque não havia quase ninguém hospedado lá. Dando uma volta pela cidade, a paz aumentou, pois só havia velhinhos e casais. Era muita paz mesmo. Eu realmente teria bastantes momentos de paz ali. Liguei para a mamãe:

— Mãe, cheguei.

— E então?

— Bastante paz. Bem que a Alessandra falou.

— Cuidado para não surtar aí, hein?

— Que surtar que nada... Estou ótima!

E estava ótima mesmo. No dia seguinte, acordei e fui correr nas proximidades do Lago Negro. Era lindo! Corri também na Avenida das Hortênsias. Fiquei encantada. Depois, corri de Gramado a Canela. Mas, durante a ida, eu ia parando nas fábricas de chocolate. Não fazia sentido nenhum. Na volta, resolvi ser sensata e não parar em nenhuma fábrica. Cheguei ao hotel morta, com quatro bolhas nos pés, mas em paz. Tomei aqueeeele banho e dormi.

No outro dia, contratei um motorista para me levar aos pontos turísticos de Gramado e de Canela. Nunca mais vou esquecer esse homem: senhor Messias. Estávamos em uma vinícola quando chegou uma mensagem do Álvaro:

"Você reclama quando saio com os meus amigos, mas viajou sozinha. Esperei para ver se você realmente iria e fiquei decepcionado quando vi que você foi. Está tudo terminado. Nunca mais me procure."

Eu não acreditei naquilo. Como assim? Ele nem me esperou para conversar? Que cretino! Desatinei a chorar. Chorava tanto que até soluçava. Mas por que eu estava chorando se era o que eu queria? "Abandonismo"? Carência? Acho que a palavra "nunca", na mensagem, pesou. Nunca é para sempre, né? Chamei o senhor Messias:

— O que você tem, menina?

— Homem, seu Messias. Deixa eu perguntar uma coisa pro senhor.

— Pois não?

— Eu contratei o senhor para me levar aos pontos turísticos, né? Mas eu posso escolher uns lugares diferentes no meio do caminho?

— Pode.

— E posso beber no carro do senhor?

— Pode.

— Então tá. Me aguarde que vou comprar umas garrafas de vinho aqui.

Comprei as garrafas, e fomos embora da vinícola em direção à Cascata do Caracol. No caminho, eu bebia e conversava com a minha mãe.

— Mãe!!!

— Ixi! Acabou a paz já?

— Ele terminou, mãe. Vou morrer.

— Pare com isso. Era o que você queria. Agora aguenta. Eu conheço você. Esse drama não dura dois dias.

— Por que nada dá certo pra mim, mãe?

— Dá sim. Você é muito bem-sucedida.

— No amor, mãe.

— No quê?

Eu chorava tanto que não dava para entender o que eu falava. Chorava e tomava um gole de vinho na garrafa.

— Você está bebendo? Olha, olha... Você é fraca pra bebida, está aí sozinha...

— Como eu esqueço esse cretino, mãe?

— Imagine-o fazendo cocô. Isso sempre funcionou comigo.

Enquanto isso, o coitado do seu Messias, preocupado, perguntava o tempo todo se eu queria voltar para o hotel.

— Não vou voltar! Contratei o senhor para eu conhecer os pontos turísticos e vou conhecer. Esse idiota não vai atrapalhar a minha viagem.

Chegamos à tal cascata. Era linda. Sentei-me em frente a ela e liguei para a minha *personal trainer* e amiga:

— Tati...

— Pelo "Tati", já vi que terminaram.

— Acabou! Vou morrer. Vou me atirar nessa cachoeira.

— Não é cachoeira, é cascata. E esse tipo de morte não combina com você. Já te falei para arrumar um homem mais velho, mais maduro, que cuide de você.

— Será que um dia vai dar certo?

— Cíntia, isso é carência. Você não gosta dele. Seja objetiva. Vá correr. Exercício traz paz.

Desliguei. Imbuída de uma autocomiseração que beirava a

insanidade, fiquei ali, parada, olhando para o nada. Seu Messias, visivelmente preocupado, perguntou se não estava na hora de eu almoçar.

— Boa ideia. O senhor vai almoçar comigo.

Durante o almoço, ele me contou que, após o término do seu último casamento, ficou viciado em remédios para dormir. Contou que nunca mais gostou de ninguém e que não queria saber mais de mulher na vida.

— Mas o senhor não sente falta?

— Tenho as minhas confusões, né? Não sou de ferro. Mas morar junto? Nunca mais. A gente se apega demais, menina.

— É... E esse remedinho para dormir? O senhor tem aí?

— Não, mas tenho em casa. Levo você ao hotel e mais tarde deixo na recepção.

— Obrigada! O senhor foi o meu salvador! Obrigada pela companhia também.

Voltei para o hotel. Depois de uma garrafa de vinho e quinze telefonemas para amigos, eu ainda chorava. A cada vez que eu contava a história, eu chorava. Até que o gerente telefonou para o meu quarto:

— O motorista deixou um remédio para a senhora.

— Não dou conta de descer. O senhor poderia trazer para mim?

— Claro.

Quando ele me viu, assustou-se:

— A senhora precisa de alguma coisa?

— Sim! De alguém que me entenda. Todo mundo diz que é drama, mas não é. O senhor pode me ouvir?

Coitado do gerente...

— Então entre. Sente-se.

— Não posso me sentar, senhora.

— Pode sim. O quarto é meu.

E contei toda a ladainha para o pobre gerente, que, crente na genuinidade da minha dor, fitava-me com olhos lacrimejantes. Uma hora depois, ele disse:

— Agora tome um banho e não se esqueça do remédio. Amanhã a senhora estará descansada para viajar.

Obedeci e dormi. No dia seguinte, eu estava visivelmente apática por causa do remédio: eu demorava um minuto para entender o que falavam comigo e mais um minuto para responder. Um *delay* só. O avião fez conexão em São Paulo. Sentei-me para esperar o voo para a minha cidade. E lá permaneci por horas, olhando para o nada. Em certo momento, voltei a chorar. Daí um atendente da companhia aérea veio até mim:

— Posso ver o cartão de embarque da senhora?

Entreguei.

— Minha senhora, a senhora já perdeu dois voos. Não pode perder o terceiro, que é o último que parte para Belo Horizonte. Vou colocá-la nesse voo e comprar um café para a senhora, tudo bem?

— Tudo bem. Obrigada.

Que alma boa... Seria um anjo enviado por Deus? Cheguei à minha cidade. Liguei para uma amiga, Luciana, que estava recém-separada e que com certeza entenderia a minha trágica situação. Pedi a ela que dormisse na minha casa. Não aguentaria dormir sozinha. Seria demais para mim. No dia seguinte, incrivelmente, eu estava ótima, como se nada tivesse acontecido. Tirei a paz de muitas pessoas, mas eu... Ah! Eu estava pronta para ter bastantes momentos de paz.

PÃO-DURO

— Mamãe é muito pão-dura, fessora.

— Pão-duro, Clara.

— Mas "mamãe" é palavra feminina.

— Sim. Mas a concordância ocorre com "pão", que é palavra masculina.

— Mamãe é pão-duro?

— Isso.

— Feio demais!

— O feio também existe, Clara.

ASSISTIR O OU ASSISTIR AO?

Os filmes a que assisti

— Você fala exageradamente de filmes... Como foi a sua relação com os filmes?

— Bem, a minha primeira grande paixão cinematográfica foi *Elvis e eu*, baseado na história de Priscilla e Elvis Presley. Na verdade, esse filme nem era tão bom, mas foi o responsável por desencadear, aos dez anos, o meu amor pelo Rei do Rock. Depois veio *Curtindo a vida adoidado*. Fiquei louca pelo personagem Ferris Bueller, apesar de, na época, achar um charme o jeito caladão do melhor amigo dele.

— Hummm... Continue.

— Em uma fase mais sentimental, passei a adorar *Amor sem fim*, ao qual assistia, creio, para chorar. Só pode... Eu não tinha mais do que treze anos, Sandra. Enquanto as minhas amigas brincavam de boneca, eu namorava os astros do cinema. Menina "pra frente", como dizem.

— Sei... Conte-me mais.

— Completando a lista dos "filmes para chorar", passei a assistir a *Tomates verdes fritos* copiosamente. Tão lindo... Eu até comprei um tomate verde e fritei. Péssimo. Ou eu não soube fazer, o que é bastante provável. Em seguida, veio uma época mais erótica...

— Erótica?

— Sim, erótica. Foi com *9½ semanas de amor*, que eu alugava escondido e via umas dez vezes no fim de semana. Não sei se eu superestimo esse filme, mas acho que ele provocou efeitos em mim cujas sequelas ainda não me sinto segura para comentar com você. Ele foi o *Cinquenta tons de cinza* da época. O problema é que eu não tinha nem quinze anos...

— Interessante. Prossiga.

— Saí do erótico e desembarquei no romance improvável e piegas de *Uma linda mulher*. Fiquei anos estacionada nesse filme. E confesso: assisto a ele até hoje. Amo.

— Sei... E o que mais? Continue.

— Um tempo depois, fui apresentada ao cinema "cult". O primeiro foi *O último tango em Paris*, que, de acordo com a minha mãe, era "safadeza disfarçada de cultura". Mas eu adorava o Marlon Brando! Daí veio *La dolce vita*... Apaixonei-me pela personagem de Anita Ekberg. Queria entrar na Fontana di Trevi e ter um Marcello Mastroianni para me resgatar. E o que falar de *Casablanca* com "As Time Goes By"? Quem resistiria a Bogart? Ninguém. E quase pulei da ponte ao assistir ao filme *As pontes de Madison*. Juro, Sandra. Qual mulher não deseja um amor (e um homem) como aquele? Aposto que você deseja. Clint Eastwood e Meryl Streep deram vida a um romance que sempre me faz chorar... A cena da maçaneta do carro é imbatível.

— Essa cena é linda mesmo.

— Não disse? Bem, depois de ter uma overdose de diretores como Woody Allen, Bergman, Polanski e Denys Arcand, caí no cinema nacional e nas garras do Capitão Nascimento. Assisti a *Tropa de elite* no cinema com um namorado. Você acredita que ele me pediu para eu me conter? Disse que qualquer um perceberia a minha infidelidade.

— Infidelidade?

— Sim. Disse que eu o traía com os filmes.

— Você quer dizer que o traía com aquilo que você projetava nos personagens.

— Eu não quero dizer nada. Você fez uma pergunta, e eu estou respondendo.

— E hoje?

— Hoje mantenho uns encontros com o Mr. Big, de *Sex and the City*.

— Você percebe que esses filmes atrapalham a sua busca por um relacionamento saudável? É muito difícil competir com os personagens de Richard Gere, Marcello Mastroianni, Clint Eastwood... Você está descompensada.

— Ai, que exagero.

— Pare de assistir esses filmes.

— Mas eu não assisto OS filmes.

— Como não?

— Se eu assistisse OS filmes, eu faria parte da equipe de produção.

— Não entendi a brincadeira.

— Eu assisto AOS filmes, Sandra. Assistir, no sentido de ver, é verbo transitivo indireto. Eu assisti AO filme. Pede a preposição "a". Entendeu?

— E esse negócio de fazer parte da equipe de produção?

— Se você assiste O filme, o sentido passa a ser o de ajudar, já que não há preposição, só o artigo. Então, quem assiste o filme é a equipe de produção, não o espectador. Você, por exemplo, que é psicóloga, deveria assistir O paciente.

— Você quer dizer que eu não ajudo você? Que eu não assisto você?

— Sinceramente, quem assistiu você hoje foi eu.

— Por quê?

— Porque, além de fazer você fantasiar pelo mundo cinematográfico, dei-lhe uma boa aula de regência verbal. Cinema e português. Quer coisa melhor? Só faltou o vinho. Vou embora.

— Mas a sessão não acabou.

— Acabou outra coisa.

— O quê?

— A minha vontade de falar.

— Como assim?

— O vento levou.

Voltei para casa, encontrei-me com o Mr. Big e mais tarde fui dormir com o Elvis. Neles sim eu podia confiar. Eu, hein? Mulher descompensada...

COMIDA

Baguete? A baguete.

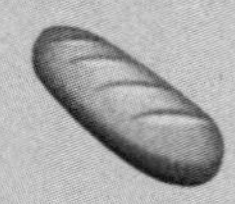

Fondue? A fondue ou o fondue.

Omelete? A omelete ou o omelete.

Quiche? A quiche ou o quiche.

Diabetes? A diabete, a diabetes, o diabete, o diabetes.

VENDE-SE OU VENDEM-SE?

Obscenidade linguística

uando iniciei a minha história com Arthur, fi-lo com os dois pés atrás, afinal tratava-se do quarentão mais misterioso da cidade. Eu pouco sabia da vida dele, apesar dos vários amigos em comum, como o Felipe.

— Felipe, me passa a ficha do Arthur.

Sim, leitor, sou dessas... Descubro até se o infeliz tem nome no Serasa. Gato escaldado tem medo de água fria, não é mesmo?

— Uai, amiga, é um menino bom, um príncipe.

— Príncipe? Defina príncipe.

— Bem-sucedido, trabalhador, muito honesto, de boa família, cavalheiro. Tudo o que você gosta.

— Sei... Mais alguma coisa?

— A ex-namorada dele você já conhece... Hum... Mais nada de que eu me lembre.

— Tem certeza, Felipe? Olha lá, hein? Vou sair pra jantar com ele.

— O perigo é só de ele não falar.

— Como assim? O meu jantar será um monólogo?

— Ele não fala muito, mas, quando abre a boca, é ótimo. É um menino muito inteligente. Saia com ele. Quem sabe não dá certo? Você fala por dois mesmo...

Desliguei o telefone pressentindo a enrascada, mas a minha curiosidade antropológica era maior do que o meu apreço pelo meu sexto sentido.

Saímos. O Felipe estava totalmente enganado... Que homem cavalheiro e inteligente. Conversamos muito! Fiquei impressionada.

— Felipe, ele é ótimo! Conversamos bastante. E como é cavalheiro! Um príncipe.

— Sério que com você ele conversou?

— Muito!

— Sobre o quê?

— Ah, sobre mim, sobre o meu trabalho, sobre as entrevistas que dei nos últimos tempos...

— Só sobre você?

— Uai, Fê! Sobre a vida.

— Viu? Ele não falou sobre ele. Aposto que foi quase um monólogo.

Dei continuidade ao romance. Um mês depois, o que parecia ser um mar de rosas deu lugar a um lago: parado e enfadonho.

Ainda não contei, mas Arthur era dono de uma construtora bastante respeitada na cidade. Por isso, bastava eu entrar no carro dele para ele começar:

— Está vendo aquele prédio?

— Sim.

— É meu.

— Que legal.

Dois quarteirões à frente:

— Está vendo aquela cobertura?

— Sim.

— Só falta ela para o prédio ser todo vendido.

No quarteirão seguinte:

— Gosta daquele prédio?

— Gosto.

— Vendi ontem a última unidade. Tenho até que mandar tirar aquela placa.

— Espere aí.

— O quê?

— Na placa está escrito "vende-se apartamentos".

— E daí?

— E daí que o correto é "vendem-se apartamentos". O verbo deve concordar com o sujeito, que é "apartamentos". Entendeu?

“Vendem-se apartamentos”, porque “apartamentos”, o sujeito, são vendidos.

— E daí? Que bobagem!

— Bobagem?

— Ninguém liga pra esse tipo de coisa. Português é um saco. Alguém vai deixar de comprar um apartamento meu por causa da placa?

— Você deveria trocar as placas de todos os seus prédios. Pega mal pra sua empresa.

— O que pega mal é não vender. Isso pega mal. Hahaha! Não vou trocar todas as minhas placas por causa de uma cisma linguística sua. Como se você se preocupasse de fato comigo... Você nem sequer pergunta como foi o meu dia e só fala de si.

— Só falo de mim... Você é que não se abre nunca. Quando fala, fala sobre as vendas desses malditos apartamentos. E ainda por cima não aceita a minha correção, que só tende a melhorar a imagem da sua empresa.

— Vou deixar você em casa.

— Ótimo. Isso nunca daria certo mesmo.

Cruzei os braços e emudeci durante todo o caminho para a minha casa. Depois disso, ficamos alguns meses sem conversar.

O que ocorreu depois? Do monólogo, passamos ao silêncio. Do romance, passamos à amizade. E as placas? Continuam nos prédios da empresa dele, intactas, estampando a obscenidade linguística presente em “vende-se apartamentos”. Afff!

A FASHIONISTA

"Na próxima coleção, os tons pastéis vêm com força total", diz a *fashionista*.

Tons pastéis?
Blusas cinzas?
Sapatos ouros?
Vestidos vinhos?

Socorroooooo, senhora *fashionista*! Se o adjetivo é representado por um substantivo que indica tonalidade de cor, ele não vai para o plural.

Então:
Tons pastel.
Blusas cinza.
Sapatos ouro.
Vestidos vinho.
E ponto final.

A LONGO PRAZO OU EM LONGO PRAZO?

Os homens de 51 anos

— Mãe, o meu namorado tem 51 anos.

Pronto. Falei.

— O quê? O namorado de quem?

— O meu, mãe. Ele chama Hélber.

— Hummm... Até o nome é de velho. E você tem quantos anos, minha filha?

— Trinta e três.

— Quase vinte anos de diferença. Você acha isso bonito?

— Bem, não deu certo com os de quarenta, não deu certo com os de trinta...

— E aí você apela para um senhor de 51 anos, minha filha? Ele por acaso dá conta de você?

— Que pergunta é essa, mãe?

— Perguntar não ofende. Se bem que deve dar. A medicina anda tão avançada...

E assim foi o anúncio daquilo que, na minha vã ingenuidade, seria um relacionamento duradouro.

Mamãe sempre sonhou para mim (veja bem: sonhou para mim) um homem como o Thiago Lacerda. Acho, na verdade, que esse era o sonho dela, mas tudo bem.

— Que dia eu vou conhecer o Hélber, o cinquentão? Ele tem filhos?

— Tem. Dois filhos e duas ex-mulheres.

— É uma pouca-vergonha... Isso não vai dar certo, minha filha! Esse tipo de homem não dura com mulheres como você.

— Por quê?

— Dois casamentos, dois filhos, cinquenta anos nas costas... Você acha que ele quer casamento? Ele pode até se casar novamente, mas será com uma mulher que tenha disponibilidade, coisa que você não tem. A longo prazo, não funciona. Isso se ele funcionar, né?

— Em longo.

— Não adianta ser longo, filhota.

— Não, mãe. Afffff! Em longo.

— Quê?

— O correto é em longo prazo, com "em". "A longo prazo" não existe.

— Ah, tá. Então afirmo: você vai ficar de saco cheio das cobranças presenciais dele, vai terminar e, depois, ele vai ficar com uma ou com várias mulheres subservientes, dispostas a tolerar qualquer coisa para ficar com ele. Isso tudo em longo ou em curto prazos. Mas será assim.

— Deixa eu ver se eu entendi: tudo aquilo que o atrai hoje, em longo prazo, será motivo de brigas. É isso?

— Isso, filhinha. Você é muito sagaz.

A minha mãe tem a capacidade de, ao mesmo tempo, ser admirável pela inteligência e detestável (ou também admirável?) pela ironia.

— Então eu faço o quê?

— Termine.

— Eu estou gostando dele, mãe!

— Em curto prazo, minha filha.

— Por causa da idade dele ou por minha causa?

— Por causa dos dois: porque você não se apega e porque ele já cansou de se apegar. Entendeu ou quer que desenhe?

— Eu me apego sim.

— Apega-se. Em curto prazo.

— Meu Deus! Eu não tenho jeito, então?

— Tem. Claro que tem. Para trabalhar, para inovar, para criar. Mas para casar... Toda vez que você me apresenta um namorado eu me pergunto se é autoflagelação.

— Que isso, mãe?!

— Dedo podre, minha filha. É genético. Mas, quem sabe, em longo prazo, você não mudará isso?

— Como?

— Só com o tempo. Você vai aprender.

Bem, dizem que praga de mãe pega, que mãe tem sempre razão. Realmente não deu certo. Foi um namoro de oito meses. Um namoro de curto prazo. Eu terminei exatamente pelos motivos apontados por ela. E tudo o que ela falou aconteceu. Depois disso, comecei a pensar em longo prazo. E o que houve? Nada, já que passei a classificar os homens: esse é para relacionamento em longo prazo, esse é para relacionamento em curto prazo... E por que eu não permaneci com os "homens em longo prazo"? Porque, infelizmente, os "homens em curto prazo" costumam ser mais atraentes, principalmente os cinquentões. Fazer o quê? Um dia a minha perspectiva vai mudar... Nem que seja em longo prazo.

ca-be-lei-rei-ro-

FUROR PEDAGÓGICO

Rui havia se formado em Letras para “ter um diploma”, mas o sonho do rapaz era ser maquiador e cabeleireiro profissional.

Certo dia, criou coragem e largou a vida de professor. Não enfrentou dificuldades. As portas abriram-se para ele. Mas era incapaz de disfarçar o desprezo que nutria pelas incautas clientes que insistiam em falar “cabelereiro”:

— Já disse que sou cabeleireiro! Ca-be-lei-rei-ro.

Chegava a ser agressivo com as que diziam “maqueio”:

— É maquio, queridinha! Eu ma-qui-o!

Quase tinha um ataque quando ouvia “sombrancelha”:

— Você acha que é sombrancelha porque é perto de onde se passa a sombra? O correto é sobrancelha! Sem o “m”, fofa!

O nome disso? Furor pedagógico, leitor. Furor pedagógico.

Mal (ou bem?) incurável.

SE NÃO OU SENÃO?

Se não congelar... Congele, senão...

Sempre me achei moderna em muitos aspectos. Até o dia em que tive de me confrontar com os meus óvulos.

— Como estão os meus exames, doutor Walter?

— Aparentemente, estão ótimos. Vamos aguardar o resultado do preventivo.

— Sim.

— Escuta, Cíntia, você já fez 35 anos, né?

— Não... Farei neste ano.

— Então chegou a hora de congelar os óvulos, se essa for a sua opção.

— Congelar o quê?

— Os óvulos. A partir dos 35, eles caem em quantidade e em qualidade. Se não congelar, as chances de você ter um filho completamente saudável diminuem. Congele, senão...

— Doutor, você reparou que você usou o *se não* separado e em seguida o *senão* junto?

— Não...

— O separado foi o primeiro: "Se não congelar", dando ideia de hipótese. O segundo, junto, foi no "Congele, senão", e significa "caso contrário". Congele, caso contrário...

— É impressão minha ou você está mudando de assunto?

Eu estava. Na verdade, eu não queria ouvir as sábias palavras do doutor Walter Pace. Saí de lá meio zonza, como se tivesse levado uma rasteira do tempo. Parei o carro na primeira rua menos movimentada que vi e fiquei atônita, olhando para o nada... "Se não congelar...", "Congele, senão...", "Se não congelar...", "Congele, senão...", "Se não congelar...", "Congele, senão...", "Se não congelar...", "Congele, senão...", "Se não congelar...", "Congele, senão...", "Se não congelar...", "Congele, senão..."

Se você teve filhos antes dos 35 anos, parabéns. Mas, se não teve, recorra à medicina. Ela redimirá as pecadoras que nem sequer pensaram no assunto, as workaholics que não tiveram tempo para procriar, as instáveis que não mantiveram um relacionamento feliz e duradouro a ponto de chegar à fase do multiplicai-vos.

Talvez você há de, coerentemente, dizer: "Que drama. A medicina está aí para dar opção, ao sexo feminino, de gerar filhos quando quiser, com ou sem homem". Não tiro a sua razão, mas não foi assim que eu sonhei. Aliás, eu nem sequer sonhei. Não me foi dado tempo para isso. Vou além: a natureza está me obrigando a sonhar agora e diz para eu sonhar rapidinho, que os óvulos não podem esperar.

"Se não congelar...", "Congele, senão...", "Se não congelar...", "Congele, senão...", "Se não congelar...", "Congele, senão...", "Se não congelar...", "Congele, senão...", "Se não congelar...", "Congele, senão...", "Se não congelar...", "Congele, senão..."

Eu tinha tantas perguntas a fazer... Quando, no transcorrer da vida, eu fiz a opção pela carreira? Ou será que eu vivi no modo automático e nem percebi? Por que eu não quero congelar? Por que essa opção me parece tão solitária? Chego lá, congelo os óvulos, volto a trabalhar e, "na hora certa", engravido? De quem? Devo me programar para achar um pai para os meus filhos, um bom procriador? Aquele que me dará uma boa prole? E se vierem gêmeos? Dizem que a chance de virem gêmeos é maior nesses casos. Não sei nem se quero ter um filho. Imagine se vêm gêmeos... Meu Deus. Preciso organizar o meu raciocínio

"Se não congelar...", "Congele, senão...", "Se não congelar...", "Congele, senão...", "Se não congelar...", "Congele, senão...", "Se não congelar...", "Congele, senão...", "Se não congelar...", "Congele, senão...", "Se não congelar...", "Congele, senão..."

O pai. Não vou realizar uma produção independente. Fui uma produção independente e não gostei da experiência. Pai faz falta. Não sou moderna a esse ponto. "A pessoa certa vai aparecer na hora certa." Hum... Bobagem. A hora certa, para a medicina, é no máximo agora, mas não estou vendo nenhuma pessoa certa comigo.

"Se não congelar...", "Congele, senão...", "Se não congelar...", "Congele, senão...", "Se não congelar...", "Congele, senão...", "Se não congelar...", "Congele, senão...", "Se não congelar...", "Congele, senão...", "Se não congelar...", "Congele, senão..."

A profissão. Eu ainda tenho muitas coisas para realizar. Tenho projetos de médio prazo. Fazendo as contas aqui, o prazo de maturação dessa parte profissional se encerra lá pelos quarenta. Aí é só eu dar uma paradinha e ter filhos? Mas, para isso, terei de arrumar um relacionamento quanto antes. Conhecer, namorar, casar-me... Isso demanda tempo e dedicação. Como vou fazer isso se estou tomada pelos meus projetos? Cíntia, tantas mulheres conseguem, por que você não vai conseguir? Ainda mais agora, que o próximo homem tem de ser o pai dos meus filhos. Funcionárias públicas levam vantagem nessa questão... Mas eu não quero dar paradinha nenhuma. Quero trabalhar. Como sempre fiz.

"Se não congelar...", "Congele, senão...", "Se não congelar...", "Congele, senão...", "Se não congelar...", "Congele, senão...", "Se não congelar...", "Congele, senão...", "Se não congelar...", "Congele, senão...", "Se não congelar...", "Congele, senão..."

O arrependimento. Então tá. Não quero ter filhos, quero a minha profissão. Nunca tive instinto maternal mesmo. Meu instinto é material. Mas a Miranda Hobbes, de *Sex and the City*, também não tinha e passou a ter depois da gravidez. Tornou-se uma ótima mãe. Dizem que a velhice sem filhos é muito triste. A minha família é tão pequena... Seria bom ter um filho...

"Se não congelar...", "Congele, senão...", "Se não congelar...", "Congele, senão...", "Se não congelar...", "Congele, senão...", "Se não congelar...", "Congele, senão...", "Se não congelar...", "Congele, senão...", "Se não congelar...", "Congele, senão..."

Adormeci no carro por alguns minutos. Estava exaurida. Acordei e fui trabalhar com o tormento daquelas palavras na mente.

Eu não tinha e ainda não tenho respostas. E provavelmente não terei até a publicação deste livro. Se me conheço, não vou congelar. Engraçado... Eu não me sinto com 35 anos. Também não me sinto velha como os meus óvulos. Mas o que eu sinto, nesse caso, não importa muito. A natureza é mesmo implacável.

"Se não congelar...", "Congele, senão...", "Se não congelar...", "Congele, senão...", "Se não congelar...", "Congele, senão...", "Se não congelar...", "Congele, senão...", "Se não congelar...", "Congele, senão...", "Se não congelar...", "Congele, senão..."

TELEMARKETING

— Para maiores informações, a senhora deve entrar em contato com o SAC.

— Mas eu não quero informações maiores.

— Não compreendi, senhora.

— Eu quero mais informações. Não me importa o tamanho.

— Não compreendi, senhora.

— O tamanho não interessa.

Desligou.

SOBRE CHAMPANHE E SAUDADE

Quando me torno aluna

Em uma das minhas viagens sozinha à Itália, conheci um casal, de uns trinta e poucos anos, bastante divertido. Eu estava na piscina do hotel, em Capri, quando uma moça me abordou afirmando ser minha seguidora e fã do meu trabalho. Ela, brasileira, havia se casado com um italiano, que aprendia mais sobre a língua portuguesa por meio dos meus vídeos no Instagram.

— Querido, é ela mesmo. Você tinha razão.

— Não falei que era ela? Tudo bem? Prazer em conhecê-la, professora.

— O prazer é meu.

E realmente foi muito prazeroso. Sentamo-nos à mesa e conversamos muito. Como eram divertidos! Ela havia conhecido o rapaz, por volta dos vinte e poucos anos, na Itália. Apaixonaram-se, casaram-se e foram morar em Dubai.

— Eu conheci Dubai e achei a cidade interessante, mas não consigo me imaginar vivendo lá. Como é?

— Seco.

— Em todos os sentidos, né, Ana? Dubai não é um lugar propício para criar amizades...

— Realmente não é. Mas temos alguns bons amigos. Por exemplo, um casal de libaneses que vai chegar daqui a pouco.

— E vocês pretendem continuar lá?

— Não. Estamos lá por causa do emprego do Luigi. Mas vamos nos mudar para o Brasil em breve. Sinto saudade da minha família. Aliás, saudade tem plural, professora?

— Bem, a gramática não é como a matemática. Para alguns gramáticos, sim, para outros, não; mas prefiro dizer que não tem, porque não é contável. Da mesma forma que você não sente muitas raivas, você não sente muitas saudades.

— Mas eu poderia contabilizar as raivas que passei. Hahaha!

— Sorte sua. Eu não. Hahaha!

— E você? Viajando sozinha?

— Sim.

— Corajosa, você. Não tem medo?

— Teria medo de largar tudo e ir morar em Dubai por causa de uma paixão. Corajosa, você.

— Corajoso, eu.

— Por quê?

— Casar-me com uma brasileira. Vocês têm fama de doidas.

— Hahahahaha!

— E champanhe, Cíntia?

— Pode pedir. Já cansei desse vinho mesmo.

— Não... Champanhe é palavra masculina ou feminina?

— Ah, tá. Para mim e para a maior parte dos gramáticos, deveria ser palavra masculina, por se tratar de um vinho espumante – masculino, claro – produzido na região de Champagne, na França. Mas o *Vocabulário Ortográfico da Língua Portuguesa* (VOLP) registra, hoje, "champanhe" como palavra masculina e feminina. A gramática não é como a matemática.

— Entendeu, lindo?

— Entendi. E ciúme?

— Ciúme? Raul Seixas falou que é só vaidade, Luigi. Evito sentir.

— Não... Ciúme tem plural?

— Hahahahaha! É o vinho. A palavra "ciúme" entra no mesmo problema da palavra "saudade". Para alguns gramáticos, sim, mas, para outros, não, por não ser contável. Novamente: a gramática não é como a matemática.

— Mas já protagonizamos muitas cenas de ciúmes.

— Exatamente. As cenas são contáveis, as brigas são contáveis, mas o ciúme em si, por ser abstrato, não é. Entretanto, os estudiosos que se opõem a essa ideia utilizam exemplos como o substantivo masculino plural pêsames, cuja origem é singular – pêsame –, mas hoje é utilizado no plural, apesar de ser incontável.

— Confuso, né?

— A gramática não é como a matemática. Mudando de assunto, e vocês?

— Nós o quê?

— Estão há quanto tempo juntos?

— Onze anos.

Tão juntos que respondiam em coro.

— Pois é... Onze anos juntos, distantes dos países de origem de vocês, das famílias de vocês, em uma cidade pouco receptiva como Dubai... Não enjoa? Não cansa?

Responderam novamente em coro:

— O amor não é como a matemática, professora.

Olharam-se com cumplicidade, deram um beijo terno, como se um conhecesse a alma do outro, e sorriram para mim. Tornei-me, naquele instante, aluna. O amor não era mesmo como a matemática.

CANTIGAS INFANTIS

Nunca vou entender as cantigas infantis...

Um atira o pau no gato, o outro chama o boi da cara preta. E, como se não bastasse, o amor, na cirandinha, "era pouco e se acabou". Talvez as raízes da minha crônica insônia e da minha incurável descrença no sexo masculino estejam nessas cantigas.

Talvez...

CHEGAR EM OU CHEGAR A?

Obrigadão!

— Professora, tudo bem? Eu me chamo Danilo e preciso de uma vaga. Só você pra me fazer passar em medicina. Faz quatro anos que tento e nada. Estou desesperado. Se eu não passar neste ano, vou tentar outro curso, mas nasci para ser médico. Me ajuda!

Danilo estava na lista de espera por uma vaga no meu curso havia um certo tempo. Quando finalmente efetuamos a matrícula desse rapaz, senti-me na pele de padres, curandeiros e pastores.

— Professora, trouxe este presente. A minha mãe está muito agradecida pela vaga. Disse que agora eu vou passar. Temos fé em você. Muito obrigado!

Eu já estava acostumada com esse tipo de pressão. Aliás, sempre gostei de dar oportunidades para aqueles que já perderam a fé em si de tanto tentar a aprovação nos famigerados vestibulares de medicina. Esse tipo de vitória é mais saboroso.

— Professora, como você deu vaga pro Danilo? Ele não presta atenção na aula, faz graça o tempo todo e não quer nada com a dureza.

Essa foi a advertência de um aluno bastante comprometido comigo e com a disciplina. Antônio Augusto era um primor na sala de aula.

— Antônio Augusto, agradeço a preocupação, mas fique tranquilo. Ainda neste ano ele vai passar. E também não vai atrapalhar a aula. Ou o Danilo passa neste ano, ou mudo de nome.

As aulas começaram. Conforme esperado, Danilo colocou rapidamente as garras para fora e começou a fazer bagunça logo no primeiro dia. Não que ele fosse desrespeitoso. Jamais. Ele apenas queria chamar atenção.

— Cíntia!

— Oi, Danilo!

— Vou levantar só para pegar uns chocolates, tá?

Isso ocorreu no meio de uma explicação minha.

Na segunda vez em que ele fez isso, antes mesmo de ele ficar em pé, peguei o pote de chocolates e entreguei-lhe:

— É todo seu. Mais alguma coisa?

— Não, fessora.

— Ótimo.

Depois disso, passei a falar o nome dele o tempo todo, afinal, não haveria maneira mais fácil e pedagógica de ele ser o centro das atenções e, ao mesmo tempo, participar das aulas:

— Regência do verbo "chegar", Danilo?

— Não é mesmo, Danilo?

— Vamos ver o que o Danilo acha.

— Danilo, você sabe a resposta?

— Como foi o fim de semana, Danilo?

Um mês depois, ele já estava domado, mas a qualidade da redação que escrevia variava de péssima a desesperadora. Fiquei intrigada: ele escrevia todas as redações que eu pedia, participava das aulas, mas não evoluía. Chamei-o para uma conversa:

— Danilo, preciso entender o que está acontecendo. Já faz quase dois meses que você está aqui, mas eu não vejo melhora na redação.

— Pois é... Eu travo na hora de escrever.

— Você está com algum problema em casa?

— Não.

— Com a namorada?

— Não. Essa é só motivo de alegria.

— No cursinho? Alguém está importunando você?

— Não.

— Drogas. Você está usando drogas?

— Credo, fessora.

— Credo nada. Eu preciso saber.

— Não.

— Pense em alguma coisa do seu dia a dia. Tenho certeza de que tem algo errado.

— Fessora, eu não consigo chegar em lugar nenhum, nem com a sua ajuda. Vamos desistir.

— Chegar a.

— Quê?

— A regência do verbo "chegar". As pessoas chegam *a* algum lugar, não *em* algum lugar. Lembra? Você até brincou com o exemplo que eu dei.

— É verdade. Você disse que o feio também existe. Cheguei à sala. Não cheguei *na* sala. O feio às vezes é o correto. Esqueci por causa do remédio que tomo. Deve ser...

— Espera. Que remédio???

— Ritalina.

— Você não me contou que tomava.

— Já tomei todos os dias, mas agora tomo pra estudar. Quando quero. É tranquilo...

— Algum médico mandou você fazer isso?

— Não. Na verdade, faz muito tempo que eu não vou ao meu psiquiatra.

— Pois bem. Você só continuará no meu curso se marcar uma consulta com o seu psiquiatra. Onde já se viu parar de ir ao médico e tomar um medicamento tão forte por conta própria? Só pode ser o remédio... Estamos combinados?

— Sim.

— Pode ir, então.

Ele arrumou as coisas, saiu da sala e voltou:

— Fessora!

— Oi.

— Valeu. Obrigadão!

— Agradeça ao verbo "chegar". Ele salvou a gente.

Danilo voltou ao psiquiatra, passou a fazer uso correto da medicação adequada para o caso dele (não lembro se ele tinha déficit de atenção ou hiperatividade) e, semanas depois, apresentou uma melhora significativa nas redações.

Os vestibulares de inverno chegaram, os resultados já estavam saindo, mas nada de o Danilo passar. Eu já havia pintado o rosto de muitos alunos aprovados naquele mês; contudo, não tinha coragem de perguntar para ele sobre a aprovação, com medo de uma resposta negativa.

Dias depois, justamente na turma do Danilo, eu pintei o rosto de mais duas meninas aprovadas em medicina. Confesso que fiquei muito feliz por essas alunas, mas estava chateada por ele. De repente, no fim da aula:

— Fessora!

— Oi.

— Posso ir aí?

— Pode. Está passando mal?

— Não. Posso ir?

— Pode.

Foi até o quadro e, diante da turma, disse:

— Eu passei.

— Como?

— Eu passei! E foi graças à redação, que jogou a minha nota pro alto.

— Mentira! E você esperou até agora pra me falar? Que raiva!

— Era surpresa... Eu tirei 19,25 em 20 na redação. Foram quatro anos em seis meses! Vou ser médico! Obrigadão!

Abraçou-me. Estávamos emocionados. Não sei se foi o remédio, se foi o amor, se foi a dedicação de ambas as partes ou se foi tudo isso junto. Mas de uma coisa eu sabia: ele não havia chegado a algum lugar, mas ao lugar. Obrigadão, Danilo!

PRESIDENTA

Tudo bem. O vocábulo "presidenta" existe. Está correto. Está nos dicionários. Está no VOLP. Tudo bem. Mas que é feio é. Nossa... Como é feio. Deus me livre de ser chamada de presidenta de alguma coisa.

Credo!

PREFIRO Y DO QUE X OU PREFIRO Y A X?

As propagandas de margarina

Carlos, meu amigo de infância, cumpriu, na vida amorosa, todo o protocolo de um bom menino: namorou Flávia por três anos, ficou noivo por mais um ano e casou-se em uma tradicionalíssima igreja de Belo Horizonte. Depois, como esperado, multiplicaram-se sob a rigorosa instituição do matrimônio.

Ele, oriundo de uma família pouco estabilizada, falava, desde pequeno, em constituir um lar:

— Quando eu crescer, quero ter uma família de propaganda de margarina.

— Sério? Eu nem penso nisso. Quero ser reconhecida na minha vida profissional.

— Você não quer ser mãe, Cíntia? Eu quero tanto ser pai... De meia dúzia de meninos.

Bem, ele não era pai de meia dúzia, mas de três meninos. Médico, vivia bem com a mulher, apesar da escassa vida sexual.

— Você não sente falta, Carlos?

— Ah... Sinto, mas chego tão cansado do plantão... Flávia também não coopera. Ela me trocou pelos meninos.

— Você reclama disso há meses. Deveria resolver essa situação. Por que vocês não fazem uma viagem?

— Não adianta.

— Como não?

— Eu durmo.

— E ela?

— Come o tempo todo.

— Acha que ela tem outro?

— Não... Acho que nós viramos irmãos.

— Meu amigo, resolva essa situação. O nosso tempo de vida é precioso...

E Carlos resolveu. Dois meses depois, ligou para mim:

— Preciso me abrir com alguém. E só serve você.

— O que houve?

— Só conto pessoalmente. Nem as paredes podem saber.

Não sei o que tenho, mas as pessoas, conhecidas e desconhecidas, sentem-se muito à vontade para fazer de mim uma depositária de segredos pecaminosos.

Ele chegou ao meu apartamento. Tremia. Suava. Pediu um copo d'água.

— Estou tendo um caso.

— Você? Não creio!

— Estou. Me deixa falar.

— Tá bom...

— Estou tendo um caso com um homem. Pronto. Falei. Ufa!

— Com um homem??? Você está traindo a Flávia com um homem, Carlos? Desde quando?

— Faz dois meses.

— Quem é ele?

— Renato, médico do hospital. Você não conhece.

— Você sempre foi gay e nunca me contou?

— Não sou gay.

— Tá bom. Bi. Você sempre foi bi e nunca me contou?

— Não sou gay, não sou bi, não sou nada. Quer dizer, sou hétero. Dá pra parar de me categorizar?

— Difícil. Levei um susto. Conheço você desde criança. Estou tentando entender. Se bem que, pensando agora, você sempre foi mais sensível do que os outros garotos mesmo...

— Pare. Vou embora. Achei que você me entenderia.

— Calma que estou tentando.

— Você é cheia de amigos gays, sua *personal* vai se casar com outra mulher. Achei que seria compreensiva.

— Estou sendo. Mas entenda que, no seu caso, houve uma mudança brusca, né? Quem imaginaria isso?

— O pior de tudo, o mais apavorante, é que prefiro fazer sexo com o Renato do que com a Flávia.

— O *do que* está errado.

— Eu sei que estou errado...

— Não... O prefiro DO QUE está errado. Diga: prefiro fazer sexo com o Renato A fazer com a Flávia. Use a preposição "a".

— Não é possível que você vai me corrigir num momento deste, Cíntia.

— Estou tomando tempo para não falar as coisas erradas. Preciso de um uísque para continuar. Caubói. Aceita?

— Sim.

— Bem, diante dessa sua preferência e dos dois meses de traição, presumo que você vai pedir o divórcio, né?

— Não quero.

— Como não quer?

— Amo a Flávia. Não me vejo sem ela. Temos uma família.

— Uma família que você está traindo. Já imaginou se ela descobre a verdade e faz um escândalo? Você perderá a oportunidade de assumir o rapaz quando achar que deve.

— Não vou assumir. Nunca. Prefiro a morte a assumir.

Carlos aprendia as regras gramaticais rapidamente. Era um gênio nas questões intelectuais, mas um asno nas sentimentais.

— Vamos assumir um fato: você criou esse casamento de propaganda de margarina para suprir a sua carência familiar. Cumpriu todos os protocolos aparentemente necessários à vida matrimonial perfeita. Mas nunca foi feliz. E, agora, aos quarenta anos, você exorciza isso por meio de um homem e está desesperado. A grande questão é: esse relacionamento homossexual é uma...

— Eu não sou gay!

— Tá bom. Esse relacionamento aparentemente homossexual é uma fase ou é o tipo de relacionamento que você quer para a vida toda?

— Não sei. Só tive o Renato.

— Você tem de se separar, Carlos. Vai contar a verdade pra ela ou vai assumir depois de um ano, como todo mundo que trai faz?

— Você está sendo dura comigo. Nem acho que seja traição... Prefiro ser traído com uma mulher a ser traído com um homem. No mínimo, a mulher tem algo que não tenho.

— Deve ter. Bom senso. Traição é traição, Carlos!

— Você preferiria ser trocada por um homem a ser trocada por uma mulher?

— Preferiria não ser trocada.

— Mas e se você não tivesse escolha? Você será trocada. Escolha.

— Ser trocada por um homem é algo inesperado, mas não tem como concorrer. Se isso ocorresse comigo, eu pensaria que, por mais que eu me esforçasse, não haveria como competir. Então, talvez, eu me sentisse menos mal.

— Vou pra casa. Te ligo quando decidir o que vou fazer.

Naquela noite eu não dormi. Lembrei-me da nossa infância, da nossa adolescência. Carlos sempre foi o "bom partido" da escola... Como pode? A vida é cheia de surpresas mesmo.

Nos dias seguintes, Carlos não me atendeu. Fugia de mim como o diabo foge da cruz. Isso era sinal de que ele continuava na mesma situação.

Dois meses depois:

— Cíntia, não consigo terminar com nenhum dos dois. Vou levar essa situação até a hora em que não der mais.

— Até a Flávia descobrir e fazer um escândalo, você quer dizer.

— Acho que ela já sabe.

— Como assim?

— Ela disse, na semana passada, que considera a minha amizade com o Renato muito boa, que prefere o Carlos depois do Renato ao Carlos antes do Renato.

— E você perguntou o porquê?

— Nem quero saber. Tenho medo de perguntar.

É... Não sei qual situação é pior: a de quem prefere enganar ou a de quem prefere ser enganado. Talvez a culpa seja das propagandas de margarina.

EXAGERADA

"Já te liguei um milhão de vezes."

"Sou louca por chocolate."

"Tô morrendo de cólica."

E, com três frases, você entendeu a mulher e a hipérbole.

SOBRE A CONJUNÇÃO *MAS*

Uma pecaminosa conjunção

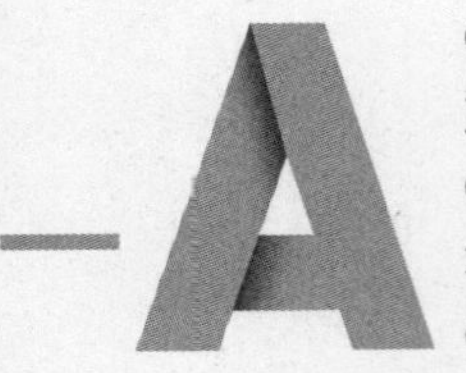

os catorze anos, fui apresentada às regras de conjunções. Na verdade, esse encontro ocorrera antes disso, mas a pessoa responsável por cristalizar em mim um bom conhecimento a respeito das conjunções foi a professora Gisele.

Aliás, essa mulher quebrou vários paradigmas meus relacionados ao perfil de uma professora: ela era linda, elegante, charmosa, alto-astral e tinha uma Mercedes. Não sejamos falsos... Todos sabemos que o senso comum acredita na seguinte visão estereotipada de professora de colégio: mulher pouco atrativa fisicamente, de gosto duvidoso e sem recursos financeiros. Minto? Sei que não.

"A Mercedes era do marido", alguém há de dizer. Mas devo adverti-lo, malicioso leitor, que se trata de um pueril e previsível engano da sua parte. Gisele ministrava aulas em todos os horários das manhãs e das tardes no meu colégio, criava duas filhas sozinha, dava aulas particulares durante os fins de semana e ainda tinha tempo para ser linda. Uma inspiração!

Mas deixemos os elogios à minha eterna papisa da língua portuguesa para entrarmos no cerne da questão: o Pai-Nosso. Sim, o Pai-Nosso que talvez você reze ou ore todos os dias.

Bem, após entender o uso das conjunções e crer, a partir disso, que eu era a própria encarnação do Machado de Assis, passei a fazer análise sintática de tudo o que dizia e pensava. E, dessa orgia linguística, nem o Pai-Nosso escapou.

Tudo ocorreu em uma noite na qual, como sempre, eu rezava o Pai-Nosso antes de me deitar.

"Não nos deixeis cair em tentação *vírgula* mas livrai-nos do mal. Amém." O quê? Está errado? "Não nos deixeis cair em tentação *vírgula* mas livrai-nos do mal. Amém." Claro que está, Cíntia, porque, se a tentação é um mal e não um bem, ela não se opõe a livrar-me do mal. Logo, não poderia haver a conjunção adversativa *mas* com a vírgula que cabe a ela nessa oração da oração mais conhecida do mundo!!! Que absurdo! Um erro de português no Pai-Nosso...

No dia seguinte, assim que cheguei ao colégio, imbuída de toda a pecaminosa vaidade linguística que já me era peculiar, procurei a professora Gisele e disse:

— Professora, o assunto é sério. Aguente firme.

— Como, Cíntia?

— Precisamos escrever uma carta para o papa.

— Está tudo bem?

— Comigo, sim, mas, com a revelação que faremos, talvez a fé católica seja abalada.

— Continuo sem entender.

— O Pai-Nosso, Gisele. Você nunca percebeu que a conjunção *mas*, em "Não nos deixeis cair em tentação, mas livrai-nos do mal", dá a entender que a tentação é um bem? Precisamos retirar essa conjunção do Pai-Nosso.

Ela riu, divertindo-se com a pitoresca situação, e revelou-me:

— Esse *mas* não é adversativo.

— Como não? Todo *mas* é. Você me ensinou isso!

— Como ele não é virgulado, tem valor aditivo. Seria como se disséssemos "não nos deixeis cair em tentação e livrai-nos do mal".

— E por que você não falou disso na aula?

— Porque darei os casos especiais das conjunções hoje. Amém?

— Amém.

Entrei na sala de aula convencida de que, por mais que eu estudasse a língua portuguesa, ela sempre me surpreenderia. Esse foi, indubitavelmente, o meu primeiro exercício de antivaidade linguística.

PAUSAS

O ponto e vírgula é um sinal gráfico que marca uma pausa maior do que a vírgula e menor do que o ponto.

Por quê?

Ora, se fosse o contrário, ele se chamaria vírgula e ponto.

E ponto final.

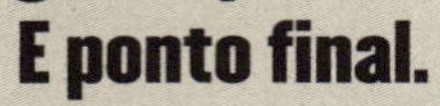

CASAR OU CASAR-SE?

Let's get married!

s pessoas costumam ir a Las Vegas à procura de shows, jogos, esportes radicais, enfim, entretenimento adulto. Eu, no entanto, fui à procura de casamento. Sim, leitor. Casamento. Mas, nesse caso, eu queria me casar com o "padre".

— Amiga, você não vai fazer isso, vai?

— Tamara, se você não quiser ir, tudo bem. Eu vou.

— É doida mesmo.

— Vai perder o meu enlace matrimonial?

— Jamais. Alguém precisa testemunhar essa loucura sua.

— Então vamos.

Escolhi uma das melhores capelas de Las Vegas; afinal de contas, tratava-se do meu casamento. Chegando lá, uma celebração já ocorria, e um casal aguardava para dizer o famoso "*I do*".

— Bom dia!

— Bom dia! Em que posso ajudar?

— Eu queria me casar.

— Hummm... Um casamento gay. Nunca vi duas noivas tão lindas!

Soltei aquela gargalhada.

— O que ela disse? Meu inglês é tão ruim...

— Se você largasse o celular por um minuto, talvez entenderia, Tamara. Ela está achando que somos um casal, que vou me casar com você.

Tamara logo quis esclarecer a situação:

— *No*, moça, *no*. *We are friends*. Entendeu? *Friends*.

— Deixa que eu converso com ela, Tamara. Qual o seu nome, querida?

— Susie.

— Então, Susie, eu vim aqui para me casar com o Elvis.

— Mas ele não pode se casar com você! Ele não casa.

A atendente parecia indignada.

— E aí, amiga?

— Ela está dizendo que o Elvis não casa.

— Claro que não casa! Não te avisei? O Elvis não vai casar com você. Vamos embora, amiga.

— Realmente, ele não vai casar comigo. Ele vai se casar comigo.

— Como assim, Cíntia?

— Os cônjuges *se* casam, Tamara. As pessoas devem dizer que se casaram, não que casaram. Por mais que dicionários e algumas gramáticas digam que o verbo "casar" pode ser pronominal ou não, ou seja, pode ter ou não ter esse "se", eu insisto em dizer que as pessoas *se* casam, que é a forma mais tradicional. Tão tradicional quanto o casamento. As pessoas se casam!

— Por isso que no casamento da Julinha você disse que ela não casou, e ninguém entendeu...

— Sim.

— Ela ficou chateada com essa história de você fazer piada com o casamento dela. Eu não ia falar nada, porque não quero confusão pro meu lado, mas...

— A piada não foi com o casamento dela, mas com a fala dela. Custa falar "eu *me* casei" ou "nós *nos* casamos"? O verbo "casar" fica bem melhor quando é pronominal se queremos fazer referência aos noivos. Os noivos *se* casam, mas não casam. Pode me chamar de ortodoxa. Não ligo.

— Você está é com inveja.

— De ela ter se casado com aquele pirralho? Não me casaria com o Tomazinho nunca. Já te disse que eu não pego pra criar. Agora eu vou conversar com essa Susie aqui e cuidar do meu casamento, tá? Susie, continuando... Eu vim aqui para me casar com o Elvis. Você não pode me negar isso... Vim de longe, do Brasil, só para me casar. Olhe a minha tatuagem aqui no pulso.

— *Oh, what a nice tattoo!*

— Então, *nice*, né? É o autógrafo do Elvis... Você precisa me ajudar, Susie.

— Tudo bem. Se o Elvis quiser... Mas precisaremos de um outro Elvis para celebrar o casamento de vocês. E esse casal aí ainda vai se casar. Depois disso, você pode tentar.

O casal em questão, para a minha surpresa, era brasileiro e fez o convite:

— Querem assistir ao nosso casamento? Estávamos até meio chateados por não haver ninguém aqui para ver.

Respondi prontamente:

— Queremos, sim! Obrigada!

— Viu, Tamara? Tudo está fluindo a favor...

Quando a cerimônia já em andamento terminou, o Elvis apareceu.

— Elvis!

— *Hi, baby!*

— O meu nome é Cíntia. Eu vim do Brasil para me casar com você.

— *Whaaat?*

— Sim. Olhe a minha tatuagem.

— *Amazing tattoo, honey.*

— *Amazing*, né? Também acho. Então, depois do casamento deles, você se casa comigo?

— *Crazy girl*, vamos conversar depois. Deixe-me celebrar esse casamento antes. Você vai assistir?

— Vou.

— O que ele disse, Cíntia?

A essa altura do campeonato, Tamara já queria até ser madrinha.

— Disse que vai conversar comigo depois do casamento deles. Mas vai se casar, Tamara. Eu sinto. Vi nos olhos dele.

Obviamente, durante a cerimônia, chorei mais do que a noiva. Aliás, eu chorava e ria, chorava e ria. Descompensada mesmo, leitor. Chorava porque acreditava estar diante do próprio Elvis Presley e ria porque ele, com um tipo de humor peculiar ao do Elvis, fazia a celebração com trechos e com títulos das canções mais conhecidas.

— Você promete não ser um *hound dog*? Promete não ter *suspicious minds*? Promete nunca a levar ao *Heartbreak Hotel*?

Depois do término da celebração, a piada era o meu rosto inchado de tanto chorar, mas ele disse:

— *Baby*, nenhuma noiva se emocionou como você. O seu amor é realmente verdadeiro e tocou o meu coração. *Let's get married!*

A cerimônia foi linda... Entrei de braços dados com ele, que cantava, enquanto subíamos ao altar, *Can't help falling in love*. Depois o meu "noivo padre" (ou seria "padre noivo"?) fez os votos e respondeu a eles simultaneamente. No fim do enlace, beijou-me com um longo selinho, testemunhado pela amiga Tamara, que prontamente eternizou esse momento com uma bela fotografia, devidamente postada no Instagram, na qual, como todas as noivas, seguro o buquê e beijo o meu noivo, que, de padre, não tinha nada. Casei-me com o Elvis, que, *always on my mind*, será o meu eterno marido.

ESTRESSE

Vejo stress e vejo estresse. Na vida e nos dicionários. As duas formas parecem-me inevitáveis. Na vida? É assim mesmo. Nos dicionários? Não há o que fazer. Na ponta da minha caneta? Prefiro estresse.

SOBRE VERBOS DERIVADOS DE VER

Uma panela de brigadeiro e o meu sofá

— Data, horário e local de nascimento, por favor.

Respondi.

— Então verei você na sexta-feira que vem, ao meio-dia. Combinado?

— Combinado. Mal vejo a hora de conhecer você, Rose. Obrigada.

Estava marcada a minha consulta com uma das astrólogas mais respeitadas de São Paulo. Eu nunca havia cogitado a hipótese de ir a astrólogas, cartomantes e afins, mas a minha conturbada vida sentimental fez de mim uma curiosa desse tipo de, digamos, orientação.

— Fiz o seu mapa. Muito auspicioso.

Auspicioso? Quem fala "auspicioso"?

— Auspicioso em qual área?

— Bem, você é libriana, com ascendente no início de áries e com uma acentuada influência de capricórnio. Impressionante esse capricórnio na sua vida, viu? Faz de você uma pessoa demasiadamente determinada.

Demasiadamente? Eu achava que só eu falava "demasiadamente"...

— Eu prevejo muita coisa boa para a sua vida profissional...

Ela sabe a conjugação do verbo "prever"... Vejo tanta gente errando isso... Que lindo!

— O Júpiter que está transitando pela sua casa sete mostra que os próximos anos serão propícios para casamentos.

Casamentos? Eu? E ainda no plural? Essa mulher só pode estar louca.

— Rose, impossível. Namoro meu é que nem período probatório de empresa: não passa de três meses. Quando eu vejo, já terminei.

— Esse excesso de exigência da sua parte vem do excesso de ar presente no seu mapa. Mas eu me refiro a casamentos na vida profissional, a alianças profissionais.

— Ah, claro. Só podia ser.

— O seu melhor planeta é na casa das vinculações. Muitas pessoas se casam devido a essa influência, mas prevejo que esse não será o seu caso.

Estou começando a tomar raiva desse "prevejo"...

— Mas calma. Eu não vou me casar nunca?

— Vai. Eu prevejo casamento.

— Espere. Um casamento tipo "e foram felizes para sempre" ou vários casamentos, tipo a Gretchen?

— Eu prevejo um, até porque você não tem mais idade para ter tantos casamentos quanto a Gretchen.

Credo...

— Mas quando?

— Demora um pouco... Você estará mais madura.

— Mas madura quarentona ou cinquentona?

— Os astros não dizem. Isso eu não prevejo, querida.

Claro... Nem a astróloga consegue ver quando eu vou desencalhar. Eu prevejo uma crise de raiva quando essa sessão acabar.

— Prevejo poucos, mas bons amigos, uma vida longa e sucesso profissional.

— Não tem nem um namorado aí não?

— Eu não prevejo namorado. O seu mapa astral mostra que você não tem ainda muita habilidade para ceder. Já se casou com o trabalho.

— Vou ter de me divorciar dele para me casar?

— Não. Prevejo que o tempo vai dar a você o equilíbrio necessário.

— Você não prevê aí um cara moreno, alto, sarado, grisalho, bem-sucedido e seguro de si, não?

— Não sou o Tinder, querida.

Grossa...

— Mais alguma coisa?

— Sim. O seu português é muito bom. Não pude deixar de observar.

— Meu noivo é professor de língua portuguesa.

— Foi Júpiter transitando pela casa sete?

— Não. Foi o Tinder mesmo.

Nesse momento eu previ uma panela de brigadeiro e o meu sofá.

DÓ

— Não vou falar que tenho um dó de alguém, Cíntia.

— Então não fale...

— Posso dizer que tenho uma dó? Só na hora de falar. Se for pra escrever, eu escrevo que tenho um dó.

— Claro que não!

— Então vou usar "pena". Tenho uma pena. Assim não erro.

— Você não vai errar... Implicou tanto com a norma que já aprendeu.

Até na negação existe aprendizado. Um dó...

O QUANTO OU QUANTO?

Uma raivosa docente

Sexto período de Letras, segundo estágio profissional e dois anos e meio de experiência em correção de redações. Esse currículo me colocou à frente de muitos concorrentes e rendeu a mim a única vaga disponível no cursinho de língua portuguesa mais disputado da época.

Eu estava corrigindo textos quando o coordenador-geral me disse:

— Cíntia, a professora Regilene pediu a sua demissão.

— Como, Jacinto? O meu trabalho não está satisfatório?

— Está... Os alunos adoram a sua correção. Você é a estagiária mais disputada por eles.

— Qual argumentação a Regilene usou então?

— Vou ler a formalização dela: "Jacinto, peço que dispense a corretora Cíntia Chagas, porque ela não demonstra humildade para aprender e não segue as minhas regras de correção. Você sabe o quanto valorizo o alinhamento entre professores e estagiários. Grata, Regilene".

— Me dê aqui essa formalização, por favor.

Peguei o papel, que acompanhou o tremor das minhas mãos, e li novamente. Depois, pedi a ele uma caneta e corrigi o erro gramatical ali contido, afinal, essa era a minha função.

Jacinto,

Peço que dispense a corretora Cíntia Chagas, porque ela não demonstra humildade para aprender e não segue as minhas regras de correção. Você sabe o quanto valorizo o alinhamento entre professores e estagiários.

Grata, Regilene.

Professora Regilene,

Também considero o alinhamento bastante importante, por isso devo corrigir o erro contido na sua formalização.

"Você sabe": oração principal

"o quanto valorizo o alinhamento entre professores e estagiários": oração subordinada substantiva objetiva direta.

As orações subordinadas substantivas começam com pronomes, advérbios interrogativos ou conjunções integrantes; portanto, constitui erro gramatical usar o artigo "o" para iniciar esse tipo de oração. Mas, caso a minha explicação não tenha ficado clara, darei a você um exemplo fácil, que utilizo para ensinar aos nossos estudantes:

Se o período "você sabe o como trapacear" não é correto, também não são corretos períodos como "você sabe o quanto valorizo o alinhamento", "você sabe o quão importante é o alinhamento".

Espero, então, que você tenha entendido a minha explicação, a fim de que possamos ficar "mais alinhadas", afinal, sabemos quão importante é a sintonia entre professores e estagiários.

Grata,

Cíntia Chagas

— Pronto. Pode devolver pra ela.

— De jeito nenhum! Não quero confusão com ela. Esqueceu que a Regilene é a coordenadora de redação?

— E você, como coordenador-geral, vai fazer o quê? Ela pede a minha demissão, mas os alunos adoram o meu trabalho.

— Vou passar você para a equipe de literatura.

— Eu? Trabalhando com literatura? Jamais.

— É isso ou a demissão.

— Você acha a atitude dela justa?

— Não. Sei que é coisa de mulher. Ela nunca foi com a sua cara. Inclusive, abriram um pré-vestibular excelente aqui em BH, e ela disse que você não pisará lá enquanto ela estiver viva.

— Mas ela tem esse poder?

— Tem. É coordenadora lá também.

— Que raiva toda é essa? O que eu fiz pra essa mulher, Jacinto? Eu sou só uma corretora... Não represento nenhum perigo pra ela.

— Nasceu, Cíntia. Nasceu.

— E agora?

— Aceite a minha oferta. É a única maneira de você continuar aqui.

— Não posso aceitar, Jacinto.

— Por quê?

— Porque não tenho conhecimento pra isso.

— Mas você adquire.

— Jacinto, o meu filme preferido é *Uma linda mulher*. Aliás, até pouco tempo atrás, eu achava que Godard era marca de chocolate suíço. Isso sem contar o meu gosto musical: eu corro atrás do trio elétrico e não tenho a mínima vontade de trocar isso por saraus de literatura. Não faço o tipo "cult". Deus me livre!

— Você me diverte, Cíntia.

— Juro que é verdade! E literatura, então? Apesar da inquestionável importância de Graciliano Ramos para o cânone literário, eu aprecio, mas não gosto do livro *Vidas secas*, que já li três vezes. E aquela cachorra Baleia com aquele Fabiano? Deus me livre! E, se eu contar isso por aí, arderei como os trucidados na Inquisição. Daí eu lhe pergunto: como vou dar aula desse tipo de texto? Eu vou acabar desestimulando os alunos. Isso sim. É quase uma heresia da sua parte me pedir isso.

— Você acha que eu só dou aula daquilo de que gosto?

— Eu gosto de noventa por cento da gramática, Jacinto. Mas, no caso da literatura brasileira exigida no ensino médio, eu devo gostar de dez por cento.

— De que você gosta?

— Na literatura do ensino médio? Do Machado de Assis e do Érico Veríssimo, por exemplo.

— E realmente não gosta do Graciliano Ramos?

— Eu o admiro, é claro. Mas isso não faz com que eu goste de ler os livros dele. Ou sou obrigada a gostar dele só porque serei professora?

— Não... Não é obrigada. Mas não saia por aí dizendo que não gosta dele. Guarde isso pra você. Pega muito mal não gostar das obras do Graciliano Ramos.

— Não consigo ficar calada, não. Se me perguntarem, falarei a verdade.

— Nunca vi uma estagiária tão honesta... A maioria diz que ama Graciliano Ramos e afins, mas, na hora do vamos-ver, percebo que eles leram muito pouco e difundem discursos prontos sobre ele.

— Pois é...

— Você me deu motivos para dispensá-la, mas uma pessoa tão lúcida sobre si vale ouro. Vamos combinar o seguinte: um ano.

— Como assim um ano?

— Durante um ano, você assistirá a cinco filmes – escolhidos por mim – por semana e fará o relatório de cada um. Vou indicar a você uns livros e umas músicas também.

— Vou ter de ler Graciliano Ramos?

— Não. Já vi que você tomou trauma. Futuramente, quem sabe?

— Negócio fechado. Mas não diga que eu não avisei.

Depois de dois meses como pupila de literatura, a professora Regilene procurou-me:

— Cíntia, você poderia voltar para a redação?

— Como???

— A corretora que eu coloquei no seu lugar não dá conta de corrigir o montante de textos, e estamos sem tempo para fazer seleção de estagiários. Você dividiria com ela? Você sabe *o* quanto eu prezo o cumprimento do prazo de entrega das correções.

Pelo visto o Jacinto não havia entregado a minha resposta a ela.

— Volto, sim. Sem problemas.

Retornei para a minha disciplina preferida, cumpri o meu combinado de um ano na literatura e permaneci nesse pré-vestibular por quatro anos. Lá, tornei-me de fato professora, tive as minhas turmas de redação e fui muito feliz, apesar das infundadas perseguições da professora Regilene, que nunca se esquecia de mim. Ah! Sabe aquele cursinho excelente no qual eu nunca colocaria os pés? De fato, mesmo após o aposentamento da raivosa docente, eu nunca coloquei. Tive, então, de construir o meu, graças à Regilene, que nem imagina quão grata sou à crueldade dela. Bem, agora imagina.

NAMORAR

— Tô namorando com o Leandro.

— Hummm... E qual é o nome do seu namorado?

— Leandro. Acabei de dizer.

— Não... Você disse que namora com o Leandro.

— Então!

— Você namora alguém com o Leandro. Moderno isso.

— O que você está insinuando?

— Eu? Nada. Foi você que disse.

— De onde você tirou essa história?

— Da regência verbal.

— Quê?

— Se bem que esse tipo de coisa pode ser antigo: a minha mãe namorava com o meu avô.

— Oi???

— Ela namorava um rapaz com o meu avô ao lado. Para o vovô vigiar.

— Hummm... Acho que entendi.

— Mas o tal Leandro. Vigia você ou participa?

— Afffff! Tchau, Cíntia.

Risos.

SOBRE ERROS EM DISCURSOS

Irrefutável?

Finalmente o meu amigo Tarcísio, após longos sete anos e vários riscos de jubilação, formou-se em história. Esse processo perdurou por muito tempo não somente pela inquestionável vocação do Tarcísio para o ócio, mas também pela natureza prolixa – que resvalava na linguagem – do amigo em questão. Além disso, ele ocupava tanto o próprio tempo com demandas políticas que não conseguia se dedicar aos estudos nem aos poucos amigos que conservara após se tornar um militante radical. Eu, que o considerava um amigo, recebi a repentina notícia, por meio de um pedido de correção textual, da inacreditável formatura.

— Cíntia, adivinha? Formei! Finalmente serei professor, minha amiga, e você terá uma participação especial nisso!

— Participação especial? Vou ser convidada para a sua formatura depois de dois anos sem contato com você?

— Não. Você vai corrigir o meu discurso da colação de grau. Não quis te convidar para a festa porque você não vai se dar bem com os meus amigos.

— Eu não vou me dar bem com eles? Ou será que eles não vão se dar bem comigo?

— Você não iria mesmo, né? Sei que foi tragada pelo estilo capitalista de vida.

— Não vou nem comentar. Mas você fará o discurso? Cuidado que o povo vai dormir na hora, hein?

— Deixa de ser chata. O discurso tem limite de linhas. Dá até pra ler pra você aqui pelo telefone. Daí você vai corrigindo. Pode ser?

— Pode, né? Você vai falar na minha cabeça até dizer chega se eu não aceitar.

— Então vou começar: *Primeiramente, boa noite.*

— Já errou.

— Mas eu nem comecei direito, Cíntia!

— Errou. É a primeira coisa que você fala no discurso. Pra que usar "primeiramente"? "Segundamente" é que não seria...

— Tá bom. Continuando: *Boa noite! Antes de mais nada, gostaria de dizer que...*

— Errado.

— Não é possível. O quê?

— O que é "nada", Tarcísio? Nada. O nada é nada. Então diga-me: o que há antes do nada? Nada. E depois do nada? Nada. Logo, "antes de mais nada" é uma expressão completamente vazia de sentido.

— Mas todo mundo usa!

— Você quer errar como todo mundo? Quer ser todo mundo?

— Não... Tudo bem, Cíntia. Faz sentido mesmo. Continuando...

— Nem precisa continuar, porque o "gostaria de" também não está bom.

— Por quê?

— Porque você não gostaria de dizer. Você está dizendo e vai dizer. Pra que usar o gostaria?

— Mas uso o quê?

— Modifique as palavras seguintes. Continue a frase para eu corrigir.

— *Gostaria de dizer que sou grato sobretudo a Deus.*

— Agradeço a Deus. Pronto.

— Entendi. *Boa noite! Agradeço a Deus pela oportunidade de finalizarmos uma etapa tão especial das nossas vidas.*

— Vocês são gatos, por acaso?

— Gatos?

— Não dizem que os gatos têm sete vidas? Os licenciados ou bacharelados em história também têm?

— Por quê?

— Porque você disse "nossas vidas".

— Mas é a vida de cada um.

— Só que cada um tem uma vida. A não ser que você se refira às supostas vidas das reencarnações.

— Aff! Que coisa chata!

— Chata é a prolixidade do seu texto.

— *Boa noite! Agradeço a Deus pela oportunidade de finalizarmos uma etapa tão especial da nossa vida. Agradeço também os nossos pais pelo apoio incondicional.*

— Agradeço *aos*.

— Não é agradeço *os*?

— Não. Você agradece *o* apoio *ao* homem. Agradeço *aos* pais, aos colegas... Entendeu?

— Sim. *Boa noite! Agradeço a Deus pela oportunidade de finalizarmos uma etapa tão especial da nossa vida. Agradeço também aos nossos pais pelo apoio incondicional e aos nossos colegas pelo companheirismo.*

— Tire os "pelos" e o "pela".

— Oi?

— Para muitos gramáticos, é errado dizer agradeço *por*, *pelo* ou *pela*. Diga apenas: agradeço a Deus *a* oportunidade, agradeço aos pais *o* apoio, agradeço aos colegas *o* companheirismo.

— Mas é muito feio!

— O feio também existe, Tarcísio.

— Tudo bem. *Boa noite! Agradeço a Deus a oportunidade de finalizarmos uma etapa tão especial da nossa vida. Agradeço também aos nossos pais o apoio incondicional e aos nossos colegas o companheirismo.*

— Uma pergunta: todos os pais deram apoio incondicional? Todos os colegas foram companheiros?

— Pedi pra você analisar o português, não o conteúdo.

— Mas não posso me abster do fato de que o seu discurso está cafona e mentiroso como quase todos os discursos de formatura. Você quer que eu bata palmas pra você?

— *Agradeço a Deus a oportunidade de finalizarmos uma etapa tão especial da nossa vida. Agradeço também aos nossos pais o apoio incondicional e aos nossos colegas o companheirismo. Hoje em dia, em um mundo cada vez mais capitalista, exercer a nossa profissão com ética é o nosso maior dever.*

— Se o verbo "ser" está no presente, só pode ser *hoje em dia*. Então retire essa expressão desnecessária.

— Mas eu quero dar ênfase!

— Isso é chato, é repetitivo, é redundante. Retire o "cada vez mais" também.

— Não é possível! Qual o problema com o "cada vez mais"?

— Trata-se de uma expressão desgastada pelo uso excessivo, de um clichê. Ninguém merece!

— Que insuportável!

— Insuportável é ouvir o seu texto. Estou livrando você do mico do ano. Fora o conteúdo, né?

— O que tem o conteúdo agora?

— Tarcísio, você afirmou que o capitalismo não é ético. Isso não é conteúdo próprio para um discurso, até porque você não fundamentou essa argumentação.

— Eu não afirmei isso!

— Você disse: *Em um mundo cada vez mais capitalista, exercer a nossa profissão com ética é o nosso maior dever*. Infere-se, então, que o capitalismo não é ético, ideia completamente questionável.

— Ah, agora entendi tudo! O seu problema não é com o meu discurso, mas com o fato de eu ser de esquerda.

— Os conceitos de direita e de esquerda utilizados popularmente também não são irrefutáveis, Tarcísio.

— Cíntia...

— Oi.

— O que é irrefutável?

Desliguei o telefone e fui trabalhar.

AMOR SINCERO

— A palavra "arrozes" existe, amor?

— Claro! Por quê?

— Está aqui no cardápio: arrozes e massas frescas.

— Sim. O plural de substantivos terminados em "z" é feito com o acréscimo de "es".

— Feio, né?

— Gravidezes, avestruzes, arrozes. A gente se acostuma com o feio.

— Será?

— Eu não me acostumei com você, amor?

A NÍVEL DE OU EM RELAÇÃO A?

A rústica sou eu

Constantemente, os meus amigos, imbuídos de solidariedade em relação ao meu estado civil, apresentam-me a candidatos diversos, o que rende a mim histórias inusitadas como a que irei narrar.

Era véspera das enfadonhas festas natalinas quando Gilda resolveu me presentear com um futuro noivo.

— Cíntia, sabe a festa que farei aqui em casa?

— Sei.

— Será a festa da sua vida. Apresentarei a você o pai dos seus filhos.

— Mas eu nem sei se quero ter filhos, gente.

— Agora você quer. Isso você resolve depois. O importante é arrumar um marido.

— Se eu quisesse de fato um marido, já teria arrumado.

— Mas você vive reclamando que está solteira!

— E você não conhece a mania que tenho de fazer piada comigo mesma, Gilda? Não quero um marido a qualquer custo.

— Enfim, ele estará aqui e você também. Vou te pedir apenas para ser mais maleável.

— Maleável como?

— Ele não é sofisticado como você gosta. Faz o tipo rústico.

— Isso é eufemismo para qual adjetivo, Gilda?

— Não é eufemismo. Ele é rústico, gosta de fazenda.

— Ai, ai... Não estou gostando disso.

Na noite seguinte, quando cheguei à casa da Gilda, todos já estavam presentes: mulheres de um lado, homens de outro. Dei aquele aceno geral e cruzei o meu olhar com o dele, que me fitou de forma realmente rústica.

— Então, amiga, gostou?

— Não deu pra avaliar...

Depois de alguns minutos, sentamo-nos todos juntos, o que propiciou o início de uma conversa:

— Cíntia, esse é o José Paulo.

— Tudo bem?

— Melhor agora. A Gilda falou muito sobre você. É professora, né?

— Sou.

— Vai viajar nas férias?

— Provavelmente. Como tenho o hábito de viajar sozinha, não costumo planejar muito.

— Mas agora você tem companhia. Também não resolvi o que fazer no Réveillon.

— Não se trata de falta de companhia, né, Gilda? Mas de opção.

E comecei um diálogo mental com a Gilda, que entendia cada olhar meu.

Que homem ansioso é esse que você me arrumou, Gilda?

Calma, amiga, ele está empolgado com você.

— Gilda falou que você é solteira.

— Sim.

— Mas você quer casar, né? E ter uma ninhada de filhos, né?

Ninhada, Gilda? Que linguajar é esse?

É rústico, amiga.

Rústico, né?

— Não pensei nessa ninhada ainda, José Paulo.

— Quero te dizer que da minha parte tá tudo arrumado: sou separado, não tive filhos e tô pronto pra arrumar a mulher da minha vida. Tenho dinheiro demais da conta, você não vai se preocupar com nada. A nível de dinheiro e de disposição, tenho de sobra.

Gilda, que cantada mercantilista é essa? E ele ainda fala "a nível de"...

Calma, Cíntia. Ele está tentando agradar.

— Que bom que você tem essa disposição toda.

— Gilda falou que sou fazendeiro?

Gilda, gostar de fazenda é diferente de ser fazendeiro.

Foi uma mentirinha, amiga. Mentirinha do bem.

— Imagino que, a nível de fazenda, você esteja muito bem.

— Demais da conta. Você gosta de fazenda, né? Lá na fazenda tem perereca pulando na gente, tem cobra, tem onça. Você vai ver. Dá pra fazer uma festança de casamento boa demais da conta lá.

— A nível de festança, você deve ser ótimo mesmo.

Cíntia, deixa de ser irônica com ele.

Você quer o quê? Você acha normal essa cantada rural e mercantilista? E esse "a nível de" irritante? É um dos vícios de linguagem mais condenados pelos gramáticos. Afff!

— Junho é um mês bom, Cíntia.

— Bom pra quê?

— Pra casar, porque podemos fazer um casamento junino.

O quê?

— Bom que a Gilda vai fazer os pés de moleque, né, Gilda querida? A nível de cozinha, você é ótima.

— Cíntia, vamos à cozinha comigo, amiga?

— Vamos não, Gilda. Vou ver até que ponto chegará esse circo.

— Que circo?

— Nada não, José Paulo. Coisa nossa.

— Sabe que você vai dar uma ótima parideira?

— Como???

— As ancas. Mulher mirradinha não dá boa prole não. Você tem carne. Dá pra parir uma prole danada de boa. Vai ficar bonitona quando estiver prenha!

Vou matar você, Gilda.

Pedi licença, levantei-me e fui ao toalete. Gilda correu atrás de mim.

— Desculpe-me, amiga.

— A nível de amiga, estou na pior.

— Por quê? Não fiz por mal.

— Porque achei que ia conhecer um rústico tipo o Wolverine e conheci um Nerso da Capitinga rico e tosco que fala "a nível de".

Rimos da situação e, logo depois, saí à francesa, já que, em relação à paciência, a rústica sou eu.

SE EU TIVESSE...

— Se eu tivesse trago...

—Trazido.

— Tá. Se eu tivesse trazido o... Mas calma. Por que "trazido"?

— Você nunca me ouve. Quer que eu explique mesmo?

— Sim.

— O verbo "trazer" não é abundante.

— Como assim?

— Ele não tem a forma "trago" no particípio.

— Mas "trago" existe.

— Sim. Eu trago boas notícias, dei um trago no cigarro...

— Então. Trago existe.

— Mas não na construção do "se eu tivesse". Entendeu assim?

— Entendi.

— Que bom.

— Então, como eu falava, se eu tivesse trago...

Joguei diamante na cruz. Só pode.

POSFÁCIO

Mas por que português?

Fabrício

os seis anos de idade, eu tive a minha primeira desilusão amorosa. O nome do dito-cujo era Fabrício, responsável não só pelas muitas lágrimas que derramei, mas também pela minha obsessão com as palavras.

Conheci Fabrício na Kombi que nos levava ao colégio. Assim que o vi, apaixonei-me loucamente. Ele tinha oito anos e incumbiu-se da função de abrir e fechar a porta do veículo em questão. Quando o vi, eu logo pensei: encontrei o homem da minha vida. Parece brincadeira, mas o meu amor desmedido pelo Fabrício levou-me, ainda criança, ao psicólogo. Acompanhe-me.

Conforme disse, vi o Fabrício e fiquei obcecada. Fazia de tudo para chamar a atenção dele: falava alto, encurtava o short (que imediatamente era desdobrado assim que eu voltava para casa), usava as maquiagens da minha mãe, mas nada surtia efeito. Fabrício, indiferente aos meus encantos, apenas tinha olhos para uma menina da idade dele. Eu era uma pirralha. Estava fadada a morrer nessa condição.

No ano seguinte, não estávamos mais em uma Kombi, mas em um ônibus escolar, o que fez o meu ciúme aumentar ainda mais: Fabrício era o centro das atenções (até hoje não sei por que, pois fisicamente ele nem chamava atenção) e criava brincadeiras, durante a volta para casa, das quais eu nunca podia participar. Aos sete anos, finalmente criei coragem e escrevi uma carta para ele, na qual eu revelava todo o meu amor. Entreguei-lhe a bendita (ou maldita?) carta no meio do corredor do ônibus, na frente de todos os colegas.

— Fabrício, fiz para você.

Ele, cruel, ao ver o envelope da carta, no qual havia o nome dele dentro de um coração, disse:

— Meu nome não é com cê-cedilha, sua burra! É com cê! Vá estudar o dicionário!

E rasgou a carta, sem ao menos ler, na minha frente.

Chorei, chorei, chorei. Passei dias chorando. Não queria comer, não queria ir à aula. Dor de amor, sabe?

Minha avó ficou preocupada:

— Temos de levar essa menina ao psicólogo. Isso não pode ser normal nessa idade.

Fui a uma psicóloga, mas a única coisa que eu falava era que eu queria um dicionário. Não qualquer dicionário, mas o maior do mundo. Depois de um tempo de terapia, ela disse:

— Deem o dicionário que a Cíntia quer. Isso a acalmará. Mas precisamos analisar a relação dela com o pai. Isso certamente é fruto da ausência da figura paterna.

Acho que a vovó não gostou dessa história de figura paterna, já que me tirou da terapia logo em seguida.

— Frescura isso de figura paterna. Vamos comprar o dicionário.

Nessa época, eu já tinha oito anos. Lembro-me, como se fosse ontem, do dia da compra daquele dicionário enorme, de capa preta e dura, que eu mal conseguia carregar. Aquilo não era um dicionário. Era o portal para o amor.

Passei a decorar as palavras do dicionário, mas não encontrei Fabrício lá. Ele não me mandou estudar o dicionário para aprender a escrever o nome dele? Ora, bolas! Então passei a decorar os significados de termos difíceis para depois perguntar se ele os conhecia, mas o Fabrício não se dava nem ao trabalho de responder. Nada chamava a atenção dele.

Anos depois, ainda atormentada por aquele amor, aos dez anos de idade, tentei uma outra estratégia: eu havia ganhado um sutiã (sem necessidade nenhuma, aliás) da minha avó. Vesti o sutiã, coloquei o uniforme e fui para o colégio. Na volta, dentro do escolar, perguntei a ele:

— Fabríciooo, eu já uso sutiããã. Você duvida?

— Duvido.

Tirei a blusa do uniforme. Ele gritou. Chamou o dono do veículo. Cobriu o rosto. Gritou de novo. O homem ficou uma fera e obrigou-me a voltar, de cabeça baixa, ao lado do motorista, sem poder falar com ninguém. Quando chegamos à minha casa, ele, ainda bravo, disse para a vovó:

— É melhor a senhora ver o que essa menina tem. Ela tirou a roupa hoje no ônibus escolar. Se já está assim aos dez anos... Não sei não...

Os anos seguintes foram regados a ironias e a brincadeiras dos demais colegas em relação ao meu amor pelo Fabrício. Havia musiquinhas com o meu nome, piadas, tudo o que as crianças são capazes de fazer quando querem implicar com outra criança.

Mas, como o mundo dá voltas, quando fiz catorze anos, Fabrício resolveu olhar para mim. Em um dia de provas, terminei-as rapidamente e fui para o ônibus. Quem chegou logo depois? O Fabrício! Era a primeira vez que ficávamos sozinhos naquele local onde a tragédia da carta ocorrera. Eu estava sentada lá no fundo. Ele veio até mim. Meu coração disparou. Sentou-se ao meu lado e, magicamente, lascou-me um beijo! Oito anos depois! Oito anos de espera! Mas, para estragar a magia daquele momento, ele não só beijava como um aspirador (lambuzou o meu rosto todo com a língua) como também colocou a mão na minha coxa. Que absurdo! Retirei bruscamente a mão dele e saí correndo. Chorei mais uns dois anos e nunca mais vi o Fabrício. O meu amor por ele se foi, mas o meu amor pela língua ficou. A portuguesa, é claro.

BIBLIOGRAFIA

ALMEIDA, N. M. *Gramática metódica da língua portuguesa*. São Paulo: Saraiva, 2009.

BECHARA, E. *Moderna gramática portuguesa*. Rio de Janeiro: Nova Fronteira, 2009.

CEGALLA, D. P. *Novíssima gramática da língua portuguesa*. São Paulo: Companhia Nacional, 2008.

_____. *Dicionário de dificuldades da língua portuguesa*. Rio de Janeiro: Lexikon, 2009.

CEREJA, W. R.; MAGALHÃES, T. C. *Português: linguagens 1*. São Paulo: Atual, 2012.

CUNHA, C.; CINTRA, L. *Gramática do português contemporâneo*. Rio de Janeiro: Lexikon, 2013.

FERNANDES, F. *Dicionário de regimes de substantivos e adjetivos*. Porto Alegre: Globo, 1958.

_____. *Dicionário de verbos e regimes*. Porto Alegre: Globo, 1969.

HOUAISS, A.; VILLAR, M. S.; FRANCO, F. M. M. *Dicionário Houaiss da língua portuguesa*. Rio de Janeiro: Objetiva, 2001.

ROCHA LIMA. *Gramática normativa da língua portuguesa*. Rio de Janeiro: José Olympio, 2017.

LUFT, C. P. *Dicionário prático de regência nominal*. São Paulo: Ática, 2011.

Vocabulário ortográfico da língua portuguesa. Disponível em: <http://www.academia.org.br/nossa-lingua/busca-no-vocabulario>. Acesso em: 11 abr. 2018.

ste livro foi impresso em 2024, pela Assahi, para a HarperCollins Brasil. O papel do miolo é pólen natural 80 g/m^2, e o da capa é cartão 250 g/m^2.